DICTIONNAIRE DES DIFFICULTÉS DE LA LANGUE FRANÇAISE

Sous la direction de l'équipe de la Centrale d'achats Maxi-Livres
Direction : Alexandre Falco
Responsable des publications : Françoise Orlando-Trouvé
Responsable édition - fabrication : Stéphanie Bogdanowicz

Découvrez nos offres et nos magasins sur le site :
www.maxi-livres.com

Garantie de l'éditeur
Malgré tout le soin apporté à sa réalisation, cet ouvrage
peut comporter des erreurs ou des omissions.
Nous remercions le lecteur de bien vouloir nous faire part
de toute remarque à ce sujet.

Pierre Ripert

DICTIONNAIRE DES DIFFICULTÉS DE LA LANGUE FRANÇAISE

Les règles essentielles de grammaire
Les singuliers et les pluriels
Les mots masculins, féminins ou invariables
Les mots composés
Les mots difficiles à orthographier
Les homonymes et les mots pouvant prêter
à confusion
Les subtilités de la langue française à la portée
de tous !

Il est conseillé d'utiliser cet ouvrage
en complément du
DICTIONNAIRE DES CONJUGAISONS
de Pierre Ripert (même éditeur)

AVANT-PROPOS

La langue française est aussi belle que riche, mais se révèle souvent un véritable casse-tête pour ceux qui veulent la pratiquer sans fautes d'accord ou d'orthographe. Avec ce *Dictionnaire des difficultés de la langue française*, c'est désormais possible :

— règles essentielles de grammaire avec leurs exceptions, de l'accord des participes passés avec le verbe *avoir* au vocabulaire employé en grammaire et en rhétorique...
— règles d'application des singuliers et pluriels des noms et des adjectifs, liste des prépositions, conjonctions et adverbes les plus fréquents...
— listes des mots uniquement masculins ou uniquement féminins, des invariables...
— formation et pluriel des mots composés, avec ou sans trait d'union...
— homonymes et mots pouvant prêter à confusion...

Ce *Dictionnaire des difficultés de la langue française* met ces règles à la portée de tous et permet de les résoudre sans peine, en présentant, à partir d'un index, plus de 2000 mots difficiles à orthographier, avec leur définition, leurs différents sens et leurs particularités orthographiques.

LISTE DES ABRÉVIATIONS ET DES SIGNES
employés dans ce dictionnaire

adj.	adjectif
adv.	adverbe
conj. cojonct.	conjonction
f. fém.	féminin
loc.	locution
m. masc.	masculin
num.	numéral
pl.	pluriel
pr.	pronominal
prép.	préposition
pron.	pronom
pron. pers.	pronom personnel
pron. poss.	pronom possessif
s. subst.	substantif
v. i.	verbe intransitif
v. t.	verbe transitif

Le signe | indique un synonyme ou sépare les différentes significations du mot.

Ce *dictionnaire des difficultés de la langue française* a été réalisé à partir des *Nouveau dictionnaire portatif de la langue française*, de Gattel (1803), *Nouveau dictionnaire de la langue française*, de Noël et Chapsal (1865), *Dictionnaire de la langue française*, de Pierre Ripert (2000), *Dictionnaire des conjugaisons*, de Pierre Ripert (2000).

GRAMMAIRE

PROPOSITION

Nous parlons pour faire connaître aux autres ce que nous éprouvons et pensons. Cette énonciation se nomme *proposition*. Toute proposition se compose de trois termes : le *sujet*, le *verbe*, et l'*attribut*. Le **sujet** est l'objet du jugement ; c'est la chose à juger. L'**attribut** peint la chose jugée ; il exprime la manière d'être du sujet. Le **verbe** marque la convenance de l'attribut avec le sujet ; il sert à lier l'un à l'autre. Ainsi, dans la proposition : *le ciel est magnifique* ; *le ciel* est le sujet ; *est*, le verbe ; et *magnifique*, l'attribut.

Les mots qui entrent dans une proposition pour exprimer le sujet, le verbe, l'attribut, et les diverses circonstances qui peuvent se rapporter à chacune de ces parties, sont de dix espèces différentes : le **substantif**, le **pronom**, l'**article**, l'**adjectif**, le **verbe**, le **participe**, l'**adverbe**, la **préposition**, la **conjonction** et l'**interjection**. Les mots se divisent en **mots variables** et en **mots invariables**.

MOTS VARIABLES

On appelle *mots variables* ceux qui varient dans leurs terminaisons selon le genre et le nombre, soit parce qu'ils possèdent par eux-mêmes ces propriétés, soit parce qu'ils les reçoivent des mots auxquels ils se rapportent. Les mots variables sont le **substantif**, le **pronom**, l'**article**, l'**adjectif**, le **verbe** et le **participe**.

SUBSTANTIF, mot qui représente un être, un objet. Le *substantif*, ou *nom*, est un mot qui, sans avoir besoin d'un autre mot, subsiste par lui-même dans le discours, et signifie un être ou un objet, réel ou imaginaire. Les substantifs ont deux propriétés : le genre et le nombre.

Le **genre** permet la distinction des sexes ; de là deux genres : le *masculin* et le *féminin*. Pour marquer cette différence, on a souvent donné aux substantifs des terminaisons différentes.

Le **nombre** permet de représenter l'unité ou la pluralité ; de là le *singulier* et le *pluriel*. La marque du pluriel n'est pas toujours la même. La règle la plus générale est de terminer les substantifs par un **s** (voir *pluriels particuliers*).

PRONOM, en grammaire, partie du discours qu'on met à la place du substantif pour en rappeler l'idée et en éviter la répétition. Il indique le rôle que chaque *personne* joue dans l'action de la parole. Il y a trois personnes au singulier, et trois au pluriel.

Il y a cinq sortes de pronoms :

— *les pronoms personnels*

JE, ME, MOI, NOUS ; TU, TE, TOI, VOUS ; IL, ILS, ELLE, ELLES, LUI, EUX, SE, SOI, LE, LA, LES, LEUR, EN, Y ;

— *les pronoms possessifs*

LE MIEN, LA MIENNE, LE TIEN, LA TIENNE, LE SIEN, LA SIENNE, LE NÔTRE, LA NÔTRE, LE VÔTRE, LA VÔTRE, LE LEUR, LA LEUR, LES MIENS, LES MIENNES, LES TIENS, LES TIENNES, LES SIENS, LES SIENNES, LES NÔTRES, LES NÔTRES, LES VÔTRES, LES VÔTRES, LES LEURS, LES LEURS ;

— *les pronoms démonstratifs*

CE, CELUI, CELLE, CEUX, CELLES ; CELUI-CI, CELLE-CI, CEUX-CI, CELLES-CI ; CELUI-LÀ, CELLE-LÀ ; CEUX-LÀ, CELLES-LÀ ;

— *les pronoms relatifs*

QUI, QUE, QUOI, DONT, LEQUEL, LAQUELLE, LES-QUELS, LESQUELLES ;

— *les pronoms indéfinis*

ON, QUICONQUE, QUELQU'UN, CHACUN, AUTRUI, L'UN L'AUTRE, L'UN ET L'AUTRE, PERSONNE ;

SUBSTANTIFS ET PRONOMS, en grammaire, le substantif et le pronom remplissent quatre fonctions dans le discours : ils y figurent ou comme sujets, ou comme compléments, ou comme attributs, ou en apostrophe. Le substantif et le pronom figurent comme **sujets**, quand ils sont l'objet de l'affirmation marquée par le verbe, quand ils représentent la personne ou la chose qui fait l'action exprimée par le verbe.

Le substantif et le pronom figurent comme **compléments**, quand ils complètent, quand ils achèvent d'exprimer l'idée commencée par un autre mot. Il y a deux sortes de compléments : le **complément direct**, qui est celui qui complète sans le secours d'une préposition, et le **complément indirect** qui ne complète qu'à l'aide d'une préposition.

Le substantif et le pronom figurent comme **attributs** quand ils expriment la manière d'être du sujet.

Le substantif et le pronom figurent en **apostrophe** quand ils représentent la personne ou la chose à laquelle on adresse la parole (les pronoms personnels sont les seuls qui puissent être employés en apostrophe).

ARTICLE, en grammaire, la fonction de l'article est de précéder les substantifs communs pour annoncer qu'ils sont employés dans un sens déterminé, c'est-à-dire pour désigner un genre, une espèce ou un individu particulier. Pour les **articles définis**, il y a *le* pour le masculin singulier, *la* pour le féminin singulier, *les* pour le pluriel des deux genres, pour les **articles indéfinis**, *un* pour le masculin singulier, *une* pour le féminin singulier, *des* pour le pluriel des deux genres.

ADJECTIF, mot ajouté à un substantif ou à un pronom. Il exprime la manière d'être du substantif ou du pronom, le modifie, ou en marque une qualité.

ADJECTIFS QUALIFICATIFS :

— les adjectifs qualificatifs, en règle géné-rale, prennent un *e* au *féminin*, et un *s* au *pluriel*. Les adjectifs masculins se terminant par un *e* ne changent pas au féminin ;

— les adjectifs qualificatifs en *al* se termi-nent en *ale* au féminin, en *ales* au féminin pluriel, et en *aux* au masculin pluriel, sauf *bancal*, *fatal*, *final*, *natal*, *naval* qui ont un masculin pluriel en *als* (un garçon *génial*, une fille *géniale*, des enfants *géniaux* ; un combat *naval*, une bataille *navale*, des chan-tiers *navals*) ;

— les adjectifs qualificatifs en *el* et en *iel* se terminent en *lle* au féminin, en *els*, *iels* au masculin pluriel, et en *lles* au féminin plu-riel (un complexe *industriel*, une unité *industrielle*, des entreprises *industrielles*) ;

— les adjectifs qualificatifs en *er* se termi-nent en *ère* au féminin, en *ères* au féminin pluriel, et en *ers* au masculin pluriel ;

— les adjectifs qualificatifs en *eur* se termi-nent en *eure*, *euse*, *esse* ou *ice* au féminin ;

— les adjectifs qualificatifs en *et* se termi-nent en *ette* au féminin, sauf *complet*, *con-cret*, *désuet*, *discret*, *inquiet*, *replet*, *secret* [et leurs composés] qui ont un féminin en *ète* (un garçon *discret*, une fille *discrète*) ;

— certains adjectifs qualificatifs doublent au féminin la consonne finale (aérien, *aérienne* ; annuel, *annuelle* ; bas, *basse* ; gentil, *gentille* ; net, *nette*) ;

— *les adjectifs qualificatifs de couleur* s'accordent s'il n'y a qu'un seul adjectif par couleur (des murs *rouges* ; des murs *bleu vert*).
ADJECTIFS NUMÉRAUX... Les adjectifs numéraux sont invariables, sauf **vingt** et **cent** quand ils indiquent des vingtaines et des centaines entières (quatre-*vingts*, quatre-*vingt*-huit ; trois *cents*, trois *cent* trois). On met un trait d'union entre les unités et les dizaines [mais les grammairiens modernes ne jugent plus cette règle obligatoire], sauf s'il y a **et** entre elles.

VERBE, mot qui exprime l'affirmation ; il marque la convenance, la liaison de l'attribut avec le sujet. Le verbe *être* pourrait suffire pour exprimer tous les jugements de notre esprit. Cependant, un grand nombre d'autres verbes ont été créés pour rendre les propos plus précis.
Si le verbe exprime une action faite par le sujet, il se nomme verbe **actif** ; il a toujours un complément direct. Si le verbe exprime une action reçue par le sujet, il se nomme verbe **passif**.
Si le verbe n'exprime qu'une qualité, une manière d'être du sujet, s'il n'est ni actif, ni passif, il se nomme verbe **neutre** ; il n'a jamais de complément direct.
Si l'action exprimée retombe sur celui ou sur ceux qui la font, le verbe se nomme **pronominal**.
Si le verbe ne s'emploie qu'à la troisième personne du singulier, et qu'il a pour

sujet un mot vague *(il)*, il est dit **imper-sonnel**.

Le verbe a des *inflexions*, ou *désinences*, diffé-rentes selon le *nombre*, la *personne*, le *mode* et le *temps*.

Le **NOMBRE** désigne, dans les verbes comme dans les substantifs, l'unité ou la pluralité.

Le **mode** est la manière d'employer les ver-bes, par rapport à leur signification. Il y a cinq modes : l'*indicatif*, le *conditionnel*, l'*impératif*, le *subjonctif* et l'*infinitif*.

Le **temps** indique à quelle partie de la durée répond l'action exprimée par le verbe. La durée renferme trois parties ou époques, l'instant où l'on parle, celui qui précède, et celui qui suit : le *présent*, le *passé* et le *futur*. Le passé et le futur se composent d'une multitude d'instants, d'où résultent plu-sieurs sortes de passés et de futurs. Le pré-sent n'admet qu'un temps, parce que l'instant où l'on parle est un point indivisi-ble. Soit, en tout, huit temps pour les trois époques.

— **Présent** *(un temps)*. Le présent exprime l'affirmation comme ayant lieu à l'instant de la parole : *je lis*.

— **Passé** *(cinq temps)*. L'**imparfait** exprime l'affirmation comme présente relativement à une époque passée : *je lisais quand tu entras*. Le **passé simple** exprime l'affirma-tion comme ayant eu lieu dans un temps complètement écoulé : *je lus l'an dernier* (verbes, et leurs dérivés, ne possédant pas de passé simple : BRAIRE, BRUIRE, CLORE,

FRIRE, LUIRE, PAÎTRE, TRAIRE…). Le *passé composé* exprime l'affirmation comme ayant eu lieu dans un temps passé non complètement écoulé : *j'ai lu aujourd'hui*. Le *passé antérieur* exprime l'affirmation comme ayant eu lieu avant un autre dans un temps passé : *quand j'eus lu, je partis*. Le *plus-que-parfait* exprime l'affirmation comme étant passée avant une autre action, également passée : *j'avais fini, quand tu arrivas*.

— **Futur** *(deux temps)*. Le *futur* exprime l'affirmation comme devant avoir lieu dans un temps où l'on n'est pas encore : *je lirai demain*. Le *futur antérieur* exprime l'affirmation comme antérieure à une époque à venir : *j'aurai terminé demain*.

Les *temps* des verbes se divisent en temps simples et en temps composés. Les **temps simples** sont ceux qui n'empruntent pas un des temps du verbe *avoir* ou du verbe *être*. Les **temps composés** sont ceux dans la composition desquels il entre un des temps du verbe *avoir* ou du verbe *être*, utilisés comme **auxiliaires**. Les temps se divisent encore en *temps primitifs* et en *temps dérivés*. Les *temps primitifs* servent à former tous les autres ; il y en a cinq : le *présent de l'infinitif, le participe présent, le participe passé, le présent de l'indicatif, et le passé simple*. Les *temps dérivés* sont ceux qui proviennent des temps primitifs.

Énoncer un verbe avec toutes ses désinences ou terminaisons de nombres, de personnes, de modes et de temps, c'est le **conjuguer**.

Il y a trois *conjugaisons*, ou classes de verbes, que l'on distingue entre elles par la terminaison du présent de l'infinitif.

— La première conjugaison *(premier groupe)* se termine en **er** à l'infinitif et par un **e** à la 1re personne du présent de l'indicatif (verbes en *er*, dont *ger*, *ier*, *ayer*, *oyer*, *uyer* et *éer*).

— La deuxième conjugaison *(deuxième groupe)*, se termine en **ir** à l'infinitif et en **issant** au participe présent (le verbe *haïr* est le seul verbe de ce groupe à avoir un **ï** dans sa terminaison).

— La troisième conjugaison *(troisième groupe)* comprend les autres verbes, ceux qui sont qualifiés « d'irréguliers », et qui, selon leur terminaison, en **ir**, **oir**, **re**, **uire**..., présentent des variantes dans leur conjugaison (*voir* le *Dictionnaire des conjugaisons*, même éditeur, même collection).

VERBES IRRÉGULIERS. On appelle verbes irréguliers ceux dont les terminaisons des temps primitifs et des temps dérivés ne sont pas en tout conformes à celles des verbes des premier et deuxième groupes. Ainsi un verbe peut être irrégulier de deux manières : dans ses temps primitifs et dans ses temps dérivés.

Par exemple, *bouillir* est irrégulier dans deux temps primitifs, parce qu'au participe présent, il fait *bouillant*, au présent de l'indicatif, je *bous*, et non pas *bouillissant*, *je bouillis*, en prenant les terminaisons *issant*, *is*, qui sont celles de ces deux temps pour le verbe *choisir*, modèle de la seconde conjugaison. *Envoyer*, au contraire, est irrégulier dans deux de ses temps dérivés, car au lieu de faire, au futur et au conditionnel présent, *j'envoierai*, *j'envoierais*, en changeant (comme le verbe *citer*, qui sert de modèle) *r* en *rai* et en *rais*, il fait *j'enverrai*, *j'enverrais*. Quelque irrégulier que soit un verbe, les irrégularités n'existent que dans les temps simples. On trouvera la conjugaison des verbes irréguliers dans le *Dictionnaire des conjugaisons* (même éditeur, même collection).

PARTICIPE. En grammaire, le participe tient de la nature du verbe et de celle de l'adjectif : du verbe, en ce qu'il en a la signification et le régime ; et de l'adjectif, en ce qu'il qualifie le nom auquel il se rapporte. Il y a deux sortes de participes : le **participe présent** et le **participe passé**.

Le **participe présent** ajoute au mot qu'il qualifie l'idée d'une action faite par ce mot ; il est toujours terminé en **ant** : *étudiant*, *lisant*, *prenant*.

Le **participe passé** ajoute au mot qu'il qualifie l'idée d'une action reçue par ce mot : il a diverses terminaisons.

Le participe présent est toujours invariable : *une mère chérissant ses enfants ; des enfants respectant leurs parents.*

Le participe passé est susceptible de prendre l'accord, et est soumis pour sa variabilité et son invariabilité aux trois règles suivantes.

Première règle. Le participe passé employé **sans auxiliaire** s'accorde, comme l'adjectif, avec le mot qu'il qualifie : *une expérience reconnue, des victoires remportées.*

Deuxième règle. Le participe passé employé **avec le verbe être** s'accorde avec le sujet de verbe : *la correction est justifiée, les paris sont ouverts.*

Troisième règle. Le participe passé employé **avec le verbe avoir** (ou avec le verbe *être* mis pour le verbe *avoir*, ce qui a lieu dans les verbes pronominaux) s'accorde avec le complément d'objet direct quand il en est précédé, et reste invariable lorsqu'il en est suivi ou qu'il n'y en a pas. Ainsi l'on écrira, avec accord : *la lettre que j'ai reçue ; ces livres, je les ai lus ; ils m'ont félicité ; il nous a félicités ; que de peines j'ai éprouvées ; nous nous étions flattés ; ils se sont blâmés ; la dame que j'ai entendue chanter ; il nous a priés de lui écrire ;* ces accords se font à cause des compléments d'objet directs *que, les, me, nous, que de peines, nous, se, que, nous,* qui précèdent le participe.

Mais on écrira sans accord : *nous avons reçu une lettre ; ils ont perdu leurs livres ; nous nous sommes adressé des reproches ; la romance que j'ai entendu chanter ; il nous a recommandé de lui écrire ; les embarras que j'ai su que vous aviez ; ils se sont écrit ; ils se sont succédé ;* parce que dans les six premières phrases le complément d'objet direct est après le participe, et que dans les deux dernières, le participe n'a pas de complément d'objet direct.

MOTS INVARIABLES

Les mots *invariables* sont ceux qui ne varient point dans leurs terminaisons, parce que, ne modifiant jamais le substantif ni le pronom, ils ne sauraient emprunter les propriétés du genre et du nombre, ni conséquemment prendre la forme masculine ou féminine, singulière ou plurielle. Les mots invariables sont l'**adverbe**, la **préposition**, la **conjonction** et l'**interjection**.

ADVERBE, c'est un mot qui modifie un verbe ou un adjectif, ou un autre adverbe. Le nom d'adverbe lui vient de ce que le plus souvent il modifie le verbe, et conséquemment se place près de ce mot. Un assemblage de mots servant à modifier ou un verbe, ou un adjectif, ou un autre adverbe, se nomme *locution adverbiale*.
Ci-après, adverbes et locutions adverbiales fréquemment employés :
AILLEURS, dans un autre lieu. | *D'ailleurs* : par contre, en outre. | *Par ailleurs* : d'un autre côté, d'autre part.
AINSI, de cette manière. | *Ainsi soit-il*, phrase qui termine ordinairement les prières ; on s'en sert familièrement pour souhaiter à

quelqu'un l'accomplissement d'un désir qu'il vient d'exprimer. | *Ainsi que* : de même que, comme. | *Ainsi donc*, *ainsi par exemple* et *ainsi par conséquent* : pléonasmes.

ALORS, en ce temps-là. | *Alors que* : lorsque.

APRÈS, ensuite. | À la suite de. | Quand.

ASSEZ, suffisamment.

AUJOURD'HUI, le jour où l'on est.

BIEN, qui marque un certain degré de perfection. | Terme d'approbation. | Très, beaucoup. | Environ, au moins : *il y a bien deux ans*. | Mot explétif qui renforce : *je sais bien*. | *En bien*, d'une manière avantageuse | Exclamation pour encourager.

BIENTÔT, dans un peu de temps. | *À bientôt*, formule qu'on emploie quand on quitte quelqu'un que l'on compte revoir.

ÇÀ, signifiant ici, ne s'emploie que dans la locution *çà et là*, de côté et d'autre.

CERTES, très certainement.

CI, (abréviation d'*ici*), se joint à un autre mot par un trait d'union, pour marquer une idée de présence, de proximité ; il suit le substantif et le pronom, et précède le verbe, le participe, l'adverbe et la préposition.

COMBIEN, quelle quantité. | Quel prix. | À quel point.

COMME, comment, de quelle manière. | Combien.

COMMENT, de quelle manière. | Pourquoi.

DEDANS, dans l'intérieur ; à l'intérieur.

DEHORS, hors de la chose dont on parle, à l'extérieur. | Il s'oppose à *au-dedans*. | *Au-dehors*, à l'extérieur.

DÉJÀ, dès cette heure. | Auparavant.

DERRIÈRE, en arrière, après, à la suite. *Par-derrière* prend un trait d'union.

DÉSORMAIS, depuis ce moment-ci ; à l'avenir.

DESSOUS, exprime une idée de situation inférieure. | Moindre en quantité, en grandeur, en qualité, en valeur.

DESSUS, qui éveille une idée de superposition. Sur, supérieur à. | *Au-dessus de*, plus haut qu'un autre lieu, qu'un autre corps. | Qui l'emporte sur, supérieur à.

DORÉNAVANT, désormais, à l'avenir.

ENCORE, indique que l'action exprimée par le verbe continue à avoir lieu. | De nouveau. | De plus. | Davantage.

ENFIN, après tout, bref, en un mot.

ENSUITE, après, à la suite de.

ENVIRON, à peu près, presque.

HIER, adverbe de temps qui marque le jour qui précède immédiatement celui où l'on est. | Temps récent.

ICI, en ce lieu-ci. *Ici-bas*, dans ce monde.

IDEM/ITEM, le même, s'emploie pour éviter une répétition.

IMPROVISTE (à l'), sans qu'on l'ait prévu.

INTRA-MUROS, dans l'enceinte des murs d'une ville.

LÀ, se dit d'un lieu déterminé. | On l'oppose à *ci*, à *ici*, pour marquer seulement la différence des lieux. | Placé après l'adverbe *çà* il marque dispersion et confusion. | Il se joint aussi avec quelques autres adverbes de lieu qu'il précède toujours.

MAINTENANT, à présent.

MÊME, aussi, encore. | *De même*, ainsi.

MAL, autrement qu'il ne faut, qu'il ne convient.

MIEUX, c'est le comparatif de *bien* ; le superlatif est *le mieux*. D'une manière préférable, plus avantageuse, plus accomplie.

MOINS, marque dans une comparaison, l'infériorité.

NAGUÈRE, il n'y a pas longtemps.

NE, indique la négation.

NE... QUE, seulement.

NÉANMOINS, toutefois, pourtant, cependant.

OÙ, en quel endroit.

PARFOIS, quelquefois, de temps à autre.

PARTOUT, en tout lieu.

PAS, qui énonce simplement la négation. Point.

PEU, oppose à beaucoup ; en petite quantité, en petit nombre.

PEUT-ÊTRE, il peut se faire que.

PLUS, davantage. | Avec la négation, marque la cessation d'action. | Désormais.

PLUTÔT, marque préférence.

POINT, qui sert de complément à *ne* pour indiquer la négation ; pas, nullement.

PRÈS non loin.

PRESQUE, à peu près. Quasi.

PRIORI (*a*), avant tout.

PRORATA (au), à proportion.

PUIS, ensuite.

QUAND, lorsque, dans le temps que.

QUANT, préposition toujours suivie de la préposition à : pour ce qui est de...

QUELQUE, à quelque point que. | Environ.

QUELQUEFOIS, de fois à autre.

QUITTE À, au risque de.

QUOI, *comme quoi*, comment.

SITÔT, promptement, dans peu de temps.

SOIT, d'accord.

SOUVENT, plusieurs fois en peu de temps.

SURTOUT, principalement, avant toutes choses.

SUS (en), en plus.

TANT, marque une quantité indéfinie. | À tel point, en si grand nombre.

TANTÔT, se dit d'un temps passé et signifie il y a peu de temps.

TARD, au-delà du temps prescrit.

TÔT, vite, dans peu de temps.

TOUJOURS, sans cesse, sans fin, sans relâche.

TOUTEFOIS, néanmoins, mais, pourtant.

TRÈS, marque un haut degré dans la qualité énoncée par l'adjectif ou l'adverbe auquel il est joint.

TROP, plus qu'il ne faut.

VOLONTIERS, de bon gré.

VRAIMENT, effectivement.

PRÉPOSITION, c'est un mot qui sert à exprimer le rapport que les mots ont entre eux. La préposition n'a d'elle-même qu'un sens incomplet ; elle exige toujours, après elle, un mot qui en complète la signification : ce mot est appelé le complément de la préposition, et celle-ci avec son complément forme un ***complément indirect***.

Un assemblage de mots faisant office d'une préposition, se nomme ***locution prépositive***.

Ci-après, prépositions et locutions prépositives fréquemment employées :

À, se contracte avec l'article *le*, *les*, et fait alors ***au*** pour *à le*, et ***aux*** pour *à les*. | Par extension, remplace d'autres prépositions : **après** (*arracher brin à brin*). **Dans, en. De. Avec. Devant. Envers. Par. Pour. Selon, suivant** (*à la manière...*) **Sous. Sur. Vers. Entre**.

APRÈS, ensuite. | À la suite de. | Quand.

ASSEZ, suffisamment.

CHEZ, dans la maison de.

CONTRE qui marque opposition.

DANS, en ; parmi. Avec.

DE, se combine avec l'article, et fait alors *du* pour *de le* et *des* pour *de les*. Cette préposition marque une idée d'origine, de cause, d'extraction, de séparation. | S'emploie quelquefois dans le sens de certaines autres prépositions : Avec. Pendant. | À cause de. Par. Depuis.

DEÇÀ, de ce côté-ci.

DELÀ, de l'autre côté. Ne s'emploie jamais seul : *au-delà*, *par-delà* (qui prennent un trait d'union).

DÈS, depuis.

DÉPIT (en... de) malgré.

DEPUIS, exprime un rapport de temps, de lieu, d'ordre.

DERRIÈRE, arrière, après, à la suite.

DEVANT, en face. | En présence de… | Aux yeux, au jugement de… | Du côté antérieur.

EN, marque un rapport de lieu et de temps ; il signifie la même chose que *dans*, avec cette différence que *en* marque quelque chose de plus vague, de plus général.

ENTRE, dans l'espace qui sépare deux choses l'une de l'autre. | Parmi. | Marque un rapport entre deux personnes. | Dans, en.

ENVERS, à l'égard de…

ENVIRON, à peu près, presque.

HORMIS, hors, excepté.

HORS, qui marque exclusion.

INSTAR, (à l'), à la manière, à l'exemple.

JUSQUE, qui marque un terme au-delà duquel on ne passe pas.

MALGRÉ, contre le gré. | Nonobstant. | Au mépris de, ne faisant aucun cas de.

MOINS, *À moins de*, pour un prix au-dessous des.

PAR, au moyen de. À travers.

PARMI, entre, au milieu.

POUR, au lieu de. | Au nom de. | À cause de, ou que. | En faveur. | Envers. | En vue de. | Moyennant. | Pendant. | Marque le moment, le lieu. | *Pour que*, afin que.

PRÈS qui marque la proximité. | Presque.

SANS, marque privation, exclusion.

SAUF, excepté.

SELON, suivant, eu égard à, conformément à, à proportion de.

SOUS, marque : la situation d'une chose à l'égard d'une autre qui est au-dessus ; la subordination, la dépendance ; le temps.

SUIVANT, selon.

SUR, qui marque : la situation d'une chose à l'égard de celle qui la soutient ; l'accumulation, la répétition ; la supériorité ; la préférence à toute autre chose. | Parmi. | Vers.

SUS (en), en plus.

VERS, qui marque un certain côté, un certain endroit. | Auprès de. | Environ.

VIS-À-VIS, face à face.

VOICI, désigne ce qui est près.

VOILÀ, marque une chose éloignée.

CONJONCTION, c'est un mot qui sert à lier entre eux les différents membres d'une phrase. C'est par son moyen que l'on compose un tout de plusieurs portions qui, sans conjonctions, ne paraîtraient que comme des énumérations ou des phrases décousues. Un assemblage de mots faisant office d'une conjonction, se nomme *locution conjonctive*.

— **Conjonctions de coordination** : MAIS, OÙ, ET, DONC, OR, NI, CAR.

— **Conjonctions de subordination** : QUE, COMME, QUAND.

Ci-après, conjonctions et locutions conjonctives fréquemment employées :

AFIN, qui désigne le motif, la cause. Pour. Régit l'infinitif avec *de*, et le subjonctif avec *que*.

BIEN QUE, quoique.

CAR, parce que ; à cause que.

CEPENDANT, pendant ce temps. | Néanmoins, toutefois.

COMME, de même que, ainsi que. | Tel que. | Lorsque, pendant que. | Parce que, puisque.

DE MÊME QUE, ainsi que.

DONC, indique la conséquence qu'on tire d'une proposition.

ET, sert à énumérer. | Sert à lier deux propositions affirmatives. | On l'emploie quelquefois au commencement d'une phrase pour *cependant*, *malgré cela*.

MAIS, qui marque contrariété, exception, différence, augmentation, diminution, transition.

MOINS, à *moins que*, si ce n'est que.

NI, exprime une idée négative.

OR, qui sert à lier une proposition, un discours à un autre.

OU qui exprime l'alternative.

PARCE QUE, attendu que.

POUR, afin que.

POURQUOI, pour quelle chose, pour quelle raison.

POURTANT, cependant.

POURVU QUE, à condition que.

PUISQUE, qui marque la cause, le motif, la raison pour laquelle on agit.

QUOIQUE, encore que.

SI, à condition que, pourvu que, à moins que supposé que. | Marque le doute. | Tellement, à tel point. | Particule affirmative opposée à *non*.

SINON, autrement sans quoi, faute de quoi.

SOIT, alternative.

TANDIS QUE, pendant que.

INTERJECTION, c'est un mot qui sert à peindre des expressions vives et subites :
Ah ! — Ha ! — Oh ! — Ho ! — Paix ! — Chut ! — Holà ! — Eh bien ! — Hélas ! Comment !

Ô, prend l'accent circonflexe et sert à marquer divers mouvements de l'âme : l'admiration, la joie, la douleur : *ô temps ! ô mœurs ! ô coup funeste !* (Bossuet.)

TERMES DE GRAMMAIRE ET DE RHÉTORIQUE

ACCENT, s. masc. élévation ou abaissement de la voix. | Manière de prononcer particulière à une province. | Inflexion de voix qui marque le sentiment que l'on ressent. | Marque placée sur les voyelles pour en modifier le son : l'***accent aigu*** *(é)* marque le son de l'*e* fermé *(bonté)* et se met sur le *e* ; l'***accent grave*** *(è)* marque le son de l'*e* ouvert *(procès)* et se met sur les *e*, *a* et *u* ; l'***accent circonflexe*** *(ê)* se met sur l'*e* très ouvert *(tête)*, ou sur d'autres voyelles longues, *a*, *i*, *o*, *u* *(âge, flûte)*. En général, on ne met pas d'accent sur l'*e* ouvert quand il est suivi d'une consonne avec laquelle il ne fait qu'une syllabe *(mer, fer, aimer, donner)*.

ANTONYME, s. masc. opposition de mots : *courage et lâcheté sont des antonymes.*

APOSTROPHE, **s. fém.** interpellation oratoire. | Signe (') marquant l'élision d'une voyelle.

AUXILIAIRE, **s. masc.** en grammaire, le verbe auxiliaire (*avoir* et *être*) est celui qui sert à en conjuguer un autre.

BARBARISME, **s. masc.** faute de langage consistant dans l'emploi de mots inusités ou pris dans un sens contraire.

CÉDILLE, **s. f.** signe qui se place sous le **c** devant **a**, **o**, **u** lorsqu'il se prononce s (*ran-çon, soupçon, garçon...*).

CIRCONFLEXE, se dit d'un accent qui se met sur les voyelles longues.

CONDITIONNEL (mode), celui des modes qui marque que l'action du verbe aurait lieu moyennant certaines conditions.

CONJONCTIF, IVE, qui sert à unir.

CONSONNE, **s. f.** lettre qui ne forme un son qu'avec le secours d'une voyelle.

CONTRACTION, **s. f.** réduction de deux mots en un, de deux syllabes en une.

DÉFINI, E, déterminé, expliqué d'une manière précise. *Passé défini*, temps du verbe qui marque un temps écoulé. *Article défini*, le, la, les.

DÉMONSTRATIF, IVE, se dit des adjectifs et des pronoms qui désignent avec précision la personne ou la chose à laquelle ils se rapportent : *ce, cet, celui-ci, cela*.

DIRECT, E, droit, sans détour : *régime direct, complément direct* celui qui n'admet aucune préposition.

ÉPITHÈTE, adjectif mis pour donner plus de force, plus de précision à l'expression.

EXCLAMATION (point d'), se place à la fin des phrases qui expriment de la joie, de la surprise ou de l'indignation (!).

FUTUR, s. m. qui est à venir. | Temps du verbe exprimant une action à venir. *Futur simple*, indique une action qui se déroulera dans l'avenir par rapport au moment où l'on parle : *dans une heure il mangera*. *Futur antérieur*, il s'emploie pour marquer une action future qui en précédera une autre : *quand il aura mangé, il s'en ira*.

FÉMININ, E, qui appartient à la femme | *Rime féminine* : qui finit par un *e* muet.

GRAMMAIRE, s. f. règles générales du langage, ou principes particuliers d'une langue. | Livre qui contient ces règles, ces principes.

GUILLEMET, s. m. signe composé d'une double virgule (")qu'on place avant et après un passage cité.

HOMONYME, se dit des mots qui se prononcent de même, mais qui expriment des choses différentes, comme *chêne* et *chaîne*. | Désigne les personnes qui portent le même nom sans être parentes.

IDIOME, s. m. langage propre d'une nation.

IMPARFAIT, temps du verbe qui exprime l'action comme présente relativement à une autre action passée.

IMPÉRATIF, temps du verbe qui exprime le commandement.

IMPERSONNELLE (forme), un verbe impersonnel ne se conjugue qu'à la 3e personne du singulier, avec le sujet *il* (genre neutre).

INDICATIF, mode qui marque que l'action se réalise, a été réalisée, ou se réalisera. L'indicatif a huit temps : le *présent*, le *passé composé*, l'*imparfait*, le *plus-que-parfait*, le *passé simple*, le *passé antérieur*, le *futur*, et le *futur antérieur*.

INFINITIF, mode du verbe qui ne marque ni nombre ni personne.

INTERJECTION, s. f. mot qui sert à exprimer les passions.

INTERROGATIVE (forme), à la forme interrogative, on place le sujet (pronom) après le verbe, et on le lie avec un trait d'union. On place un *point d'interrogation* à la fin de la phrase : *voit-il ? A-t-il vu ?* Lorsqu'on est en présence de deux syllabes muettes, on met un *accent aigu* sur l'*e* muet du verbe (principalement à la 1re personne du singulier du présent de l'indicatif des verbes en *er*) : *mangé-je ?* Lorsqu'on est en présence de deux voyelles, on place un *t* entre traits d'union après le *e* ou le *a* de la 3e personne du singulier : *mange-t-il ? Mangea-t-il ?*

INTERROGATION (point d'), se place à la fin des phrases qui expriment une demande (?).

INTRANSITIF (verbe), verbe neutre qui exprime des actions qui ne se passent pas hors du sujet : *manger*, *marcher*, *parler*...

INVARIABLE, qui ne change pas. | Se dit des mots dont la terminaison n'éprouve pas de changement.

LABIAL, E, se dit des lettres qui se prononcent avec les lèvres : *b*, *p*, *v*, *f*, *m*. | Qui a rapport aux lèvres.

LITOTE, **s. f.** figure de rhétorique qui consiste à se servir d'une expression qui dit le moins pour faire entendre le plus : *va, je ne te hais point* (Corneille), pour dire *je t'aime*.

MAJUSCULE, se dit d'une grande lettre. | **s. f.** lettre majuscule. **On met une majuscule** : — au premier mot d'une phrase ; — à un nom propre ; — à un nom qui marque la nationalité ; — au titre d'un livre, — au nom d'une œuvre ; — au nom d'un bateau ; — à des termes historiques ou géographiques ; — à des termes de politesse ; — au premier mot d'un vers.

MASCULIN, **E**, qui appartient au mâle. | *Rime masculine* : qui ne finit pas par un **e** muet.

MÉTAPHORE, **s. f.** figure de rhétorique qui consiste à donner à un mot un sens différent de son sens propre.

MOT, **s. m.** une ou plusieurs syllabes dont l'ensemble présente une idée. | Le matériel des sons, abstraction faite des idées.

MUET, **TE**, qu'on ne prononce que peu ou point : *e muet, h muet*.

NÉOLOGISME, **s. m.** mot nouveau ; forme de phrase nouvelle ; mot pris dans un sens qui ne lui est pas ordinaire.

NOM, **s. m.** partie du discours qui représente les personnes ou les choses. ***Nom commun***, qui convient à tous les êtres, à tous les objets de la même espèce. ***Nom propre***, qui ne convient qu'à un seul être, à un seul objet. ***Nom composé***, formé de plusieurs mots. | Mot qui désigne individuellement une personne ou une chose. | Réputation, renom. | Qualité en vertu de laquelle on agit.

NOMS (composés), le nom composé prend un trait d'union entre les deux éléments qui le compose. Voir *Pluriel des noms composés*.

NOMINATIF, s. m. en grammaire, sujet du verbe.

NUMÉRAL, E, qui désigne un nombre. Voir *adjectif numéral*.

PARENTHÈSE, s. f. mots insérés dans une phrase où ils forment un sens à part. (). Les parenthèses servent à isoler une partie de la phrase, partie qui pourrait être supprimée sans changer le sens de cette phrase.

PHRASE, s. f. assemblage de mots présentant un sens complet.

PLÉONASME, s. m. figure de rhétorique par laquelle on répète ce qui vient d'être dit : *monter en haut*.

PLUS-QUE-PARFAIT, temps du verbe qui exprime une action passée à l'égard d'une autre action qui est également passée. *J'avais mangé quand il partit.*

POINT, s. m. *(grammaire)*, le **point** (.) indique la fin d'une phrase ; il se met aussi après une abréviation. Les **points de suspension** (...) indiquent que la phrase est (volontairement) inachevée. Le **point d'interrogation** (?) se place à la fin d'une phrase exprimant la demande. Le **point d'exclamation** (!) se place à la fin d'une phrase qui exprime un sentiment que l'on veut souligner, ou après une interjection. Le

deux-points (:) annonce une citation, une énumération.

POINT-VIRGULE, s. m. signe de ponctuation formé d'un point et d'une virgule (;). Il sert à séparer dans une phrase des propositions de sens différents.

PONCTUATION, s. f. art, manière de ponctuer. | Signes qu'on emploie pour ponctuer. Voir *point*.

PRONOMINAL, E, qui appartient au pronom. *Verbe pronominal*, qui se conjugue avec deux pronoms de la même personne.

QUALIFICATIF (adjectif), qui qualifie, qui marque la qualité d'une personne, d'une chose.

RACINE, s. f. mot primitif d'où d'autres dérivent. | *Racine carrée d'un nombre*, le nombre qui, multiplié par lui-même, produit le nombre dont il est la racine.

RÉGULIER, ÈRE, conforme aux règles. | Qui se fait par des mouvements égaux. | Uniforme. | Proportionné, symétrique. | Exact, ponctuel. | *Le clergé régulier*, les ordres religieux. | ***Verbes réguliers***, verbes qui suivent, dans la formation de leurs temps, les règles générales des conjugaisons.

RELATIF, IVE, qui a relation, rapport à... | S'emploie par opposition à *absolu*. | ***Pronom relatif*** qui a rapport à un substantif ou à un pronom qui précède, et qu'on nomme son *antécédent*.

SIMPLE, qui n'est point composé. | Seul, unique. | Qui renferme peu de parties distinctes. | Non compliqué. | Qui exige peu de soins. | Sans grade. | Sans ornement. | Niais, facile à tromper. | *Temps simple*, qui se conjugue sans auxiliaire.

SINGULIER, s. m. qui ne marque qu'une personne ou qu'une chose.

SOLÉCISME, s. m. faute grossière contre la syntaxe.

SUBJONCTIF, s. m. mode du verbe qui marque le doute, l'incertitude.

SUPERLATIF, IVE, qui exprime une qualité bonne ou mauvaise portée au plus haut degré.

SUSPENSION (points de), se placent à la fin d'une phrase pour indiquer son inter-ruption. On les utilise pour indiquer un sous-entendu (...).

SYLLABE, s. f. une ou plusieurs lettres qui se prononcent par une seule émission de voix.

SYNONYME, se dit des mots dont la signifi-cation est à peu près la même.

SYNTAXE, s. f. construction des mots et des phrases selon les règles.

TERMINAISON, s. f. lettres qui terminent un mot.

TIRET, s. m. signe typographique (—) trait de séparation qui indique un nouvel interlo-cuteur dans le dialogue, ou une suspension dans le discours. | Trait remplaçant une vir-gule pour mettre en évidence une portion de phrase.

TRAIT D'UNION, s. m. signe typographi-que (-) petit trait horizontal qu'on met au bout de la ligne quand un mot n'est pas fini, ou qui sert à joindre les différentes parties d'un mot composé.

TRANSITIF (verbe), verbe marquant une action qui passe d'un sujet dans un autre, et nécessitant un complément direct.

TRÉMA, s. m. deux points mis sur une voyelle *(ë, ï, ü)*, pour la faire prononcer séparément de la voyelle précédente.

VARIABLE, se dit des mots dont la terminaison varie.

VIRGULE, s. f. signe de ponctuation (,) qui sert à séparer certains mots, ou des membres de phrase.

VOYELLE, s. f. lettre qui a un son par elle-même : *a, e, i, o, u.*

PLURIELS PARTICULIERS

PLURIEL DES NOMS PROPRES

Les noms propres ne prennent pas la marque du pluriel sauf s'ils désignent :
— des **familles royales** (*les Bourbons*) ;
— des **familles illustres** (*les Guises*) ;
— des **peuples** (*les Gaulois*) ;
— des **pays** (*les Canaries*) ;
— des **noms géographiques** (*les Alpes*).

PLURIEL
DES NOMS ÉTRANGERS

S'ils sont entrés dans le langage courant, les noms étrangers prennent un **s**. Mais la règle a de nombreuses exceptions. Si le mot est anglais, il peut prendre la marque du pluriel... anglais (des *rugbymen*), si le mot est italien, il peut prendre la marque du pluriel... italien (des *impresarii*) ; toutefois, appliquer, en cas de pluriel, un *s* à leur singulier n'est pas considéré comme une faute par les grammairiens modernes (des *rugbymans*, des *imprésarios*).

BONI, s. m. excédent de la recette sur la dépense. | Somme restée sans emploi et sur laquelle on ne comptait pas. *Au pluriel* des *bonis*.

BUSINESS, s. m. invariable affaires commerciales. Terme anglo-saxon ; se prononce *bizness*.

BUSINESSMAN, s. m. homme d'affaires commerciales. *Pluriel businessmen*.

CICERONE, s. m. guide pour touristes. *Pluriel* des *cicerones*.

CONCERTO, s. m. pièce de musique exécutée par un orchestre, excepté quelques passages qu'un instrument joue seul. *Pluriel* des *concertos*.

CONDOTTIÈRE, s. m. mercenaire sous la Renaissance. *Pluriel* des *condottières*.

CREDO, s. m. invariable ce en quoi l'on croit.

CRESCENDO, s. m. renflement par degrés de la voix ou du son des instruments. *Pluriel* des *crescendi*. | **adv.** en croissant, en augmentant.

DANDY, s. m. homme affecté dans ses manières et dans sa toilette. *Pluriel* des *dandys*.

DESIDERATA, s. m. pluriel invariable désirs. *Se prononce désidérata mais ne prend pas d'accent, étant un mot latin*.

DILETTANTE, s. m. amateur éclairé. *Au pluriel*, des *dilettantes* est toléré.

DUPLICATA, s. m. invariable double d'un acte, d'une lettre.

ERRATA, s. m. indication et correction des fautes d'impression d'un ouvrage. On emploie le singulier *erratum* lorsqu'il n'y a qu'une seule faute.

EXTRA, s. m. invariable supplément.

FOLIO, s. m. numéro d'une page. *Au pluriel des folios.*

Forum, s. m. invariable place publique. | Tribune.

IMBROGLIO, s. m. confusion. | Intrigue compliquée d'une pièce de théâtre. *Pluriel des imbroglios.*

INTÉRIM, s. m. invariable entretemps.

INTERVIEW, s. f. entrevue à des fins de publication. *Pluriel des interviews.*

MÉMENTO, s. m. prière de l'Église pour les vivants et pour les morts. | Marque destinée à rappeler le souvenir d'une chose. *Pluriel des mémentos.*

MINIMUM, s. m. le plus petit degré auquel puisse être réduite une grandeur. | Somme fixée comme la moindre à payer. | La moindre des peines que la loi implique pour un crime, pour un délit. *Pluriel des minimums,* ou *des minima.*

PRORATA (au), s. m. invariable quote-part.

QUIPROQUO, s. m. méprise d'une personne qui a donné ou pris une chose pour une autre. Malentendu. *Pluriel des quiproquos.*

REQUIEM, s. m. invariable prière de l'Église pour les morts.

ULTRA, mot latin qui signifie au-delà, et qui se joint à certains mots pour marquer l'exagération. | **S. m.** personne exagérée dans ses opinions politiques. *Pluriel* des *ultras*.

VETO, s. m. mettre son veto : refuser, s'opposer à l'exécution d'une décision. *Pluriel* des *vetos*.

PLURIEL DES NOMS ET ADJECTIFS

Les noms et adjectifs, au pluriel, en règle générale, prennent un *s*.

— Les noms (et adjectifs) se terminant en **ou** prennent un *s* sauf :

BIJOU s. m. ouvrage précieux pour la parure et l'ornement. *Pluriel* **BIJOUX**.

CAILLOU, s. m. pierre dure. *Pluriel* **CAILLOUX**.

CHOU, s. m. plante potagère et crucifère. | Pâtisserie. | Diminutif affectueux. *Pluriel* **CHOUX**.

GENOU, s. m. partie du corps où s'emboîtent les os de la cuisse et de la jambe. *Pluriel* **GENOUX**.

HIBOU, s. m. oiseau nocturne. | Homme mélancolique, qui fuit la société. *Pluriel* **HIBOUX**.

JOUJOU, s. m. jouet, en langage enfantin. *Pluriel* **JOUJOUX**.

POU, s. m. parasite du cuir chevelu. *Pluriel* **POUX**.

— Les noms (et adjectifs) se terminant en **AL** prennent **AUX** sauf :

AVAL, **s. m.** côté vers lequel se dirigent les eaux d'un fleuve, d'une rivière. | Accord. Garantie de paiement. *Pluriel* **AVALS**.

BAL, **s. m.** réunion de personnes pour danser. *Pluriel* **BALS**.

BANAL, **E**, adj. qui sert à tout le monde. | Trivial. *Pluriel* **BANALS**. Attention, lorsque **BANAL** fait allusion au droit féodal (four *banal*), il s'écrit *au pluriel* **BANAUX** (moulins *banaux*).

BANCAL, **E**, **adj.** qui a une jambe ou les deux jambes tordues. *Pluriel* **BANCALS**.

CAL, **s. m.** durillon aux pieds ou aux mains. | Soudure naturelle des deux fragments d'un os cassé. *Pluriel* **CALS**.

CARNAVAL, **s. m.** temps destiné aux divertissements. *Pluriel* **CARNAVALS**.

CHACAL, **s. m.** quadrupède carnassier qui tient du chien et du loup. *Pluriel* **CHACALS**.

ÉTAL, **s. m.** table où sont exposés des produits à vendre. *Un étal de boucherie. Pluriel* **ÉTALS**.

FESTIVAL, **s. m.** solennité, réjouissance. | Représentations artistiques réunies autour d'un même thème. *Pluriel des* **FESTIVALS**.

FINAL, **E**, **adj.** qui finit, termine. | Qu'on a pour but. *Pluriel* **FINALS**.

GLACIAL, **E**, **adj.** glacé. | Qui glace. *Pluriel* **GLACIALS**.

IDÉAL, **E**, **adj.** qui n'existe que dans l'imagination. | Chimérique. | **IDÉAL**, **s. m.** le

plus haut degré de perfection ; *Pluriel*
IDÉALS ou IDÉAUX.

JOVIAL, E, adj. gai, joyeux. *Pluriel* **JOVIALS**.

NARVAL, s. m. mammifère cétacé de l'Arctique. *Pluriel* **NARVALS**.

NASAL, E, adj. qui appartient au nez. | En grammaire, se dit des sons modifiés par le nez. *Au pluriel*, **NASAUX**, *mais* **NASALS** *est toléré*.

NATAL, E, adj. où l'on a pris naissance. *Pluriel* **NATALS**.

NAVAL, E, adj. qui concerne les vaisseaux de guerre. *Pluriel* **NAVALS**.

PAL, s. m. pieu aiguisé par un bout. | Instrument de supplice. | En héraldique, pieu perpendiculaire qui traverse l'écu. *Pluriel* **PALS**.

RÉCITAL, s. m. représentation d'un artiste. *Pluriel* **RÉCITALS**.

RÉGAL, s. m. grand repas donné à quelqu'un. | Mets qui plaît beaucoup. | Grand plaisir. *Pluriel des* **RÉGALS**.

— Les noms (et adjectifs) se terminant en **AU, EAU, EU** prennent un **X** sauf :

BLEU, s. m. de la couleur du ciel sans nuage. *Pluriel* **BLEUS**.

ÉMEU, s. m. grand oiseau vivant en Australie. *Pluriel* **ÉMEUS**.

LANDAU, s. m. voiture à cheval à quatre roues. | Voiture d'enfant. *Pluriel* **LANDAUS**.

PNEU, s. m. enveloppe en caoutchouc renfermant une chambre à air que l'on gonfle. *Pluriel* **PNEUS**.

SARRAU, s. m. blouse. *Pluriel* **SARRAUS**.

— Les noms (et adjectifs) se terminant en **AIL** prennent **AILS** au pluriel sauf :

AIL, s. m. espèce d'oignon d'une odeur très forte. *Pluriel* **AILS** ou **AULX**.

BAIL, s. m. contrat par lequel on loue, pour un temps déterminé, une propriété. | Engagement. *Pluriel* **BAUX**.

CORAIL, s. m. production marine calcaire en forme d'arbrisseau, souvent d'un rouge éclatant. *Pluriel* **CORAUX**.

ÉMAIL, s. m. préparation particulière du verre, combiné avec certains métaux. | Ouvrage émaillé. | Variété des couleurs. | Substance blanche, lisse, polie et d'apparence vitreuse, qui recouvre les dents. | Enduit vitreux dont on revêt la porcelaine. *Pluriel* **ÉMAUX**.

SOUPIRAIL, s. m. ouverture pour aérer, éclairer une cave, un souterrain. *Pluriel des* **SOUPIRAUX**.

TRAVAIL, s. m. peine prise pour faire une chose. Besogne. | Ouvrage fait. | Ouvrage à faire. | Entreprises pénibles et glorieuses. *Pluriel* **TRAVAUX**.

VANTAIL, s. m. battant d'une porte ou d'une fenêtre qui s'ouvre de deux côtés. *Pluriel* **VANTAUX**.

VITRAIL, s. m. grand panneau décoré et coloré de vitres d'une église. *Pluriel* **VITRAUX**.

— Les noms (et adjectifs) se terminant en **S**, **X**, **Z** sont **invariables**.

NE S'EMPLOIENT
QU'AU PLURIEL

AFFRES, s. f. pluriel frayeur excessive.

AGAPES, s. f. pluriel festin.

AGRUMES, s. f. pluriel fruits à saveur acide.

AGUETS (être aux...), guetter, être à l'affût. Ne s'emploie que dans cette expression.

AMBAGES, s. f. pluriel ne s'emploie plus que dans l'expression *sans ambages* : sans détours.

ANNALES, s. f. pluriel histoire qui rapporte les événements année par année.

APPOINTEMENTS, s. m. pluriel salaire ; gages.

APPRÊTS, s. m. pluriel préparatifs.

ARCANES, s. m. pluriel opération mystérieuse.

ARCHIVES, s. f. pluriel lieu où l'on garde des anciens titres et documents. | Ces documents, actes, titres.

ARGUTIES, s. f. pluriel raisonnement pointilleux, vaine subtilité.

ARMOIRIES, s. f. pluriel, attributs distinctifs d'une maison noble, d'un État, d'une ville.

ARRHES, s. f. pluriel argent qu'on donne comme gage de l'exécution d'un marché. | Assurance.

ASCENDANTS, s. m. pluriel les parents dont on descend en droite ligne. *Au singulier* point du ciel où un astre monte sur l'horizon. | Autorité, influence sur la volonté de quelqu'un.

ASSISES, **s. f. pluriel** séances de juges.

BACCHANALES, **s. f. pluriel** fêtes qu'on célébrait en l'honneur de Bacchus. | *Bacchanale*, **s. f. sing.** débauche bruyante, orgie.

BAINS, **s. m. pluriel** établissement public où l'on va se baigner. | Eaux naturellement chaudes où l'on se baigne pour sa santé. | Préparation dans laquelle les teinturiers trempent les étoffes. *Au singulier* immersion et séjour plus ou moins prolongé du corps dans l'eau ou dans quelque autre fluide. | Eau préparée dans une baignoire. |On va se laver dans une *salle de* bains, avec un *peignoir de* bain.

BESTIAUX, **s. m. pluriel** bêtes domestiques.

BILLEVESÉES, **s. f. pluriel** propos frivoles. | Idées, projets chimériques.

BRAVOS **s. m. pluriel** applaudissements. | *Au singulier*, **interj.** très bien.

BROUSSAILLES, **s. f. pluriel** ronces, épines qui croissent dans les endroits incultes.

BROUTILLES, **s. f. pluriel** menues branches pour les fagots. | Futilités, choses de peu de valeur.

CALENDES, **s. f. pluriel** premier jour de chaque mois chez les Romains. | *Renvoyer aux calendes grecques*, à un temps qui ne viendra pas (les Grecs n'avaient point de calendes).

CASTAGNETTES, **s. f. pluriel** petits morceaux de bois creux, qu'on entrechoque en cadence.

CATACOMBES, s. f. pluriel cavités souterraines qui servaient à la sépulture des morts.

CISEAUX, s. m. pluriel instrument à deux branches mobiles et tranchantes pour couper des étoffes, du papier. *Au singulier* outil tranchant pour tailler la pierre ou le bois.

COMMODITÉS, s. f. pluriel toutes les choses nécessaires pour être à son aise. | Lieux d'aisances.

COMMUNS, s. m. pluriel tous les bâtiments nécessaires au service. | Lieux d'aisances.

COMPLAINTES, s. f. pluriel lamentations. *Au singulier* chanson plaintive ; récit triste en chanson.

CONDOLÉANCES, s. f. pluriel témoignage d'affection pour exprimer la part qu'on prend à la douleur de quelqu'un.

CONFINS, s. m. pluriel limites, extrémités d'un pays.

CONGRATULATIONS, s. f. pluriel félicitations.

CONJOINTS, s. m. pluriel les époux. *Conjoint*, substantif, ne s'emploie qu'au masculin ; une veuve est désignée *conjoint survivant*.

DÉBOIRES, s. m. pluriel ennuis.

DÉCOMBRES, s. m. pluriel plâtras, débris d'une démolition.

DEHORS, s. m. pluriel apparences.

DÉPENDANCES, s. f. pluriel communs d'une maison. Sujétion, subordination.| *Au* *singulier* se dit des rapports qui lient certaines choses, certains êtres, et qui les rendent nécessaires les uns aux autres.

DÉPENS, s. m. pluriel frais déboursés. | *Aux dépens de*, **loc. prép.** aux frais.| Au détriment.

DÉPOUILLES, s. f. pluriel tout ce qui est enlevé à l'ennemi. *Au singulier* peau que les serpents et certains insectes quittent tous les ans. | Peau ôtée du corps de certains animaux. | Ce qui reste d'un homme après sa mort. | Ce qu'on a pris à quelqu'un.

DOLÉANCES, s. f. pluriel plaintes.

ÉBATS, s. m. pluriel jeux folâtres.

ÉCHECS, s. m. pluriel jeu. *Au singulier* défaite.| Dommage, revers.

ÉCRITURES, s. f. pluriel écrits produits pour défendre une cause. | Manière de tenir les livres ; ce qu'un négociant écrit concernant son commerce ; ce qu'un comptable écrit contenant le mouvement des valeurs. | *Au singulier* art d'écrire. *Écrire, c'est presque toujours mentir.* (Jules Renard) | Caractères écrits. | Manière de former les caractères.

ÉCROUELLES, s. f. pluriel maladie qui se manifeste par la dégénérescence tuberculeuse des glandes du cou. | Scrofules.

ÉGARDS, s. m. pluriel déférence, marque d'estime, de respect. *S'emploie rarement au singulier.*

ÉMOLUMENTS, s. m. pluriel appointements.

ENNUIS, s. m. pluriel souci, chagrin, contrariété.

ENTRAILLES, s. f. pluriel intestins, boyaux, viscères ; toutes les parties enfermées dans l'abdomen. | Les lieux les plus profonds de la terre.

ENTRELACS, s. m. pluriel moulures, fleurons entrelacés.

ENTREMETS, s. m. invariable service avant le dessert.

ENVIRONS, s. m. pluriel lieux d'alentour.

ÉPICES, s. f. pluriel présents que les plaideurs faisaient aux juges. *Au singulier* drogue aromatique, chaude et piquante, pour l'assaisonnement des mets.

ÉPHÉMÉRIDES, s. f. pluriel tables astronomiques qui déterminent la situation de chaque planète, jour par jour. | Livres, notices... qui contiennent les événements arrivés un même jour de l'année à différentes époques.

ÉPOUSAILLES, s. f. pluriel célébration du mariage.

ÉTRENNES, s. f. pluriel cadeau du Nouvel An.

FASTES, s. m. pluriel magnificence. | Luxe.

FÉLICITATIONS, s. f. pluriel action de féliciter ; compliment.

FIANÇAILLES, s. f. pluriel promesses réciproques de mariage.

FRIMAS, s. m. pluriel neige, gelée, froidure.

FUNÉRAILLES, s. f. pluriel derniers devoirs rendus aux morts. | La mort.

GAGE, **s. m. pluriel** salaire annuel des domestiques. *Au singulier* ce qu'on remet à quelqu'un pour sûreté d'une dette, dépôt ; chose déposée. | Preuve, assurance. | Punition dans certains jeux de société chaque fois qu'on se trompe : *donner un gage.*

GENS, **s. pluriel** personnes d'un même pays, d'un même parti. ***Gens*** *est* féminin *pour l'adjectif qui le précède (de bonnes gens) et* masculin *dans tous les autres cas.* | Domestiques.

GRAVATS, **s. m. pluriel** décombres d'un mur, d'un bâtiment.

HAILLONS, **s. m. pluriel** vieux vêtements en lambeaux.

HAUBANS, **s. m. pluriel** cordages qui soutiennent et assurent le mât.

HÉMORROÏDES, **s. f. pluriel** tumeurs qui se forment au pourtour de l'anus.

HOMÉLIES, **s. f pluriel** leçons des Pères de l'Église. | Discours, ouvrage ennuyeux et moralisateur.

HONNEURS, **s. m.** pluriel charges, dignités. *Au singulier* vertu, probité. | Estime, gloire qui suit les vertus et les talents. | Réputation. | Démonstration d'estime, de respect.

HONORAIRES s. m. pluriel rétribution donnée aux membres de professions libérales.

HORS-D'ŒUVRE, **s. m. pluriel** mets apéritifs.

IMMONDICES, **s. f. pluriel** ordures, saletés.

JUMELLES, **s. f. pluriel** lorgnette double.

LARGESSES, **s. f. pluriel** libéralité. | Cadeau.

LATRINES, s. f. pluriel lieux d'aisances.

LIQUIDITÉS, s. f. pluriel somme d'argent disponible.

LITANIES, s. f. pluriel prière adressée à Dieu, à la Vierge, aux saints. | *Au singulier* longue et ennuyeuse énumération.

MÂNES, s. m. pluriel chez les Anciens, âmes des morts.

MATÉRIAUX, s. m. pluriel les matières qui entrent dans la composition d'un bâtiment.

MESDAMES, MESDEMOISELLES, s. f. pluriel de *madame*, *mademoiselle*.

MESSIEURS, s. m. pluriel de *monsieur*.

MIASMES, s. m. pluriel émanations se dégageant des matières en décomposition ou des eaux croupies.

MŒURS, s. f. pluriel habitudes naturelles ou acquises, bonnes ou mauvaises, dans la conduite de la vie. | Manière de vivre. | Usage des peuples, caractère des personnages.

MOYENS, s. m. pluriel richesses. | Facultés naturelles, morales ou physiques. *Au singulier* ce qui sert pour parvenir à une fin. | Pouvoir de faire une chose. | Entremise, aide, secours.

MUNITIONS, s. f. pluriel provisions de guerre ; armes, vivres, etc., des soldats.

NIPPES, s. f. pluriel vieux vêtements usagés.

OBSÈQUES, s. f. pluriel funérailles.

OSSEMENTS, s. m. pluriel amas confus d'os décharnés.

OUBLIETTES, s. f. pluriel cachot où l'on renfermait les gens condamnés à une prison perpétuelle. | Cachot couvert d'une fausse trappe dans laquelle on faisait tomber ceux dont on voulait se défaire secrètement.

PAPIERS, **s. m. pluriel** pièces d'identité. *Au singulier* feuille mince, sèche, pour écrire, imprimer, etc.

PIERRERIES, **s. f. pluriel** pierres précieuses employées en bijoux.

PILOTIS, **s. m. pluriel** gros pieux enfoncés en terre pour asseoir les fondements d'un ouvrage construit dans l'eau, ou dans une terre meuble.

PLEURS, **s. m. pluriel** larmes abondantes et vraies. | Plainte, gémissement.

POURPARLERS, **s. m. pluriel** conférence ; entretiens entre plusieurs partis.

POURSUITES, **s. f.** procédures d'un procès. | *Au singulier* action de poursuivre.

PRÉMICES, **s. f. pluriel** commencements. *Déjà coulait le sang, prémices du carnage.* (Racine.)

PRÉPARATIFS, **s. m. pluriel**, dispositions en prévision de…

PRÉVISIONS, **s. f. pluriel** conjectures. | *Au singulier* prévoyance.

PROLÉGOMÈNES, **s. m. pluriel** longue préface, avant-propos.

RELIEFS, **s. m. pluriel** les restes de ce qu'on a servi sur une table.| *Au singulier* ouvrage plus ou moins relevé en bosse. | Saillie apparente. | Éclat, lustre, distinction.

REPRÉSAILLES, **s. f. pluriel** traitement qu'on réserve à l'ennemi, pour se venger.

RESTES, s. m. pluriel débris : *les restes d'une grandeur qui menace ruine.* (Fénelon). | *Au singulier* ce qui demeure d'un tout, d'une quantité. | Ce qu'un autre a refusé ou abandonné. | Résultat d'une soustraction.

RIENS, s. m. pluriel choses peu importantes. Bagatelles. | *Au singulier* néant, nulle chose. | Peu de chose.

SEMAILLES, s. f. pluriel action de semer. | Les grains semés.

SÉVICES, s. m. pluriel mauvais traitements, brutalités.

SIMAGRÉES, s. f. pluriel façons affectées, minauderies.

SORNETTES, s. f. pluriel discours frivoles.

TÉNÈBRES, s. f. pluriel privation de lumière, obscurité. | Doute, erreur, ignorance, obscurité.

TRIBULATIONS, s. f. pluriel aventures.

TROUBLES, s. m. pluriel guerre civile. *Au singulier* confusion, désordre.| Brouille, discorde. | Agitation de l'esprit.

VACANCES, s. f. pluriel temps pendant lequel les études cessent dans les établissements scolaires. | Congé. | *Au singulier* temps pendant lequel une place n'est pas remplie.

VÊPRES, s. f. pluriel office du soir.

VICTUAILLES, s. f. pluriel provisions servant à la nourriture des hommes.

VIVATS, s. m. pluriel acclamations et applaudissements.

NE S'EMPLOIENT
QU'AU SINGULIER

BERCAIL, s. m. bergerie. | *Revenir au ber-cail*, rentrer à la maison. *Ce mot n'a pas de pluriel.*

CÉRÉMONIAL, s. m. usage pour les cérémonies religieuses ou politiques. | Livre qui en contient l'ordre et les règles. *Ne s'emploie pas au pluriel.*

FAIM, s. f. besoin de manger. | Désir ardent. *Ce substantif ne s'emploie pas au pluriel.*

FEU, E, adj. défunt, décédé depuis peu de temps. *Il n'a pas de pluriel.*

LAPS, s. m. *(ne s'emploie qu'au singulier)* écoulement, espace de temps.

MOTS COMPOSÉS

PRÉFIXES ET EMPLOI
DU TRAIT D'UNION

ANTI, particule qui entre dans la composition de mots, et marque l'antériorité ou l'opposition. On ne met pas de trait d'union entre ce préfixe et le second élément, sauf s'il commence par un *i* (*antiaérien*, mais *anti-induction*), ou si le second élément est déjà un mot composé (article *anti-franc-maçon*).

ARCHI, préfixe que l'on ajoute à des noms ou adjectifs pour marquer un degré excessif. Les composés s'écrivent en un seul mot, sans trait d'union.

ARRIÈRE, préfixe qui entre dans la composition de plusieurs mots (entre lesquels on met un trait d'union) pour leur faire signifier une idée de postériorité ; au pluriel, *arrière* reste invariable mais le second élément prend, lui, la forme plurielle : *arrière-boutiques, arrière-neveux*.

AU (préfixe), dans les locutions formées par le préfixe *au* et des adverbes, on met un trait d'union entre les deux termes, *au-dedans*, *au-dehors*, *au-delà*, *au-dessous*, *au-dessus*, *au-devant*, sans trait d'union dans les cas suivants : *au moins*, *au loin*, *au reste*.

AUTO (préfixe), les composés du préfixe *auto* ne prennent pas de trait d'union (*automobile*), sauf lorsqu'il y a hiatus, ou diphtongue (*auto-infection*).

BI/BIS. Les composés de *bi* s'écrivent sans trait d'union (*bimensuel*). Devant un *s*, on peut le doubler mais ce n'est pas obligatoire : *bisexuel* et *bissexuel* sont tous deux corrects. Exception pour *bissextile*, et *bissectrice* qui traditionnellement prennent 2 *s*.

CO, particule qui entre dans la composition des mots pour y ajouter une idée d'ensemble, de pluralité.

CON, particule qui entre dans la composition des mots pour y ajouter une idée d'ensemble, de pluralité, ainsi que le ferait la préposition *avec*. Elle se change en *com*, *col*, *cor*, *et co*, selon que le mot qu'on fait précéder de cette particule commence par *m*, *l*, *r*, ou une *voyelle* ou un *h*.

COULEUR. Les composés de couleur et d'un nom de chose s'écrivent sans trait d'union (*bleu azur*, *bleu ciel*) et le mot relatif à la couleur prend le pluriel (des *bleus azur*) ; mais si les deux mots concernent des couleurs, on met un trait d'union et ils sont invariables au pluriel (des *bleu-rose*)

CONTRE. Principaux composés de *contre* qui s'écrivent avec un trait d'union :

CONTRE-ALLÉE, CONTRE-AMIRAL, CONTRE-ATTAQUE, CONTRE-CHANT, CONTRE-COURANT, CONTRE-ENQUÊTE, CONTRE-ESPIONNAGE, CONTRE-EXPERTISE, CONTRE-INDICATION, CONTRE-JOUR, CONTRE-MANIFESTATION, CONTRE-OFFENSIVE, CONTRE-PIED, CONTRE-PROJET, CONTRE-RÉFORME, CONTRE-RÉVOLUTION, CONTRE-TORPILLEUR, CONTRE-VALEUR, CONTRE-VÉRITÉ, CONTRE-VOIE.

— Principaux composés de *contre* qui s'écrivent sans trait d'union, en un seul mot :
CONTREBALANCER, CONTREBANDE, CONTREBAS, CONTREBASSE, CONTRECARRER, CONTRECOUP, CONTREDANSE, CONTREDIRE, CONTREFAÇON, CONTREFORT, CONTREMAÎTRE, CONTREMARCHE, CONTREMARQUE, CONTREPARTIE, CONTREPÈTERIE, CONTRE-PLAQUÉ, CONTREPOIDS, CONTREPOINT, CONTRE-POISON, CONTRESENS, CONTRESIGNER, CONTRETEMPS, CONTREVENANT, CONTREVENIR.

DÉCA, particule qui désigne une unité dix fois plus grande que l'unité génératrice.

DÉCI, particule qui désigne une unité dix fois plus petite que l'unité génératrice.

DEMI, E, adj. qui est la moitié d'un tout. *Demi*, placé devant le substantif, est invariable : une *demi-heure* ; mais, placé après, s'accorde au singulier et au genre du nom exprimé : *trois heures et demie*.

GRAND, dans les mots composés avec *grand*, ce dernier est invariable avec les composés féminins (*une grand-mère, la* *grand-messe*), mais prend la marque du pluriel avec des composés masculins (*des grands-pères*).

MÉ, particule qui entre dans la composition des mots pour y ajouter une idée de négation (*méconnaître*). Devant une voyelle mé se change en més (*mésestimer*).

MI, **préfixe** abréviation de *demi* ; la moitié, le milieu : *être à mi-chemin*.

PRÉ, particule qui entre dans la composition des mots, et ajoute au mot auquel elle est jointe une idée de supériorité ou d'antériorité.

PLURIEL DES MOTS COMPOSÉS

Lorsque le nom composé est constitué d'un **adjectif** et d'un **nom**, les deux éléments prennent le pluriel : des *camions-citernes* (**exception** : *des franc-maçons*).

Lorsque le nom composé est constitué de **deux noms**, ou d'un **verbe** et d'un **complément**, la règle est confuse.

Sont **invariables** : *après-midi, brise-glace, brise-lames, brûle-parfum, cache-pot, casse-noisettes, chasse-mouches, faire-part, garde-boue, grille-pain, laissez-passer, pare-étincelles, pèse-lait, porte-bagages, porte-clefs, porte-monnaie, presse-papiers, rabat-joie, remue-ménage, serre-livres, serre-tête, souffre-douleur,* *trois-mâts*, *trouble-fête*, *vide-poches*, *vide-ordures*, *volte-face*...

ABAT-JOUR, s. m. invariable, appareil sur une lampe pour renvoyer la lumière.

AIDE DE CAMP, s. m. officier attaché à un général pour porter ses ordres. *Au pluriel* des *aides de camp*.

AIDE-MÉMOIRE, s. m. invariable, résumé écrit.

AIGRE-DOUX, AIGRE-DOUCE, adj. d'une saveur douce mêlée d'un peu d'aigreur. *Pluriel aigres-doux, aigres-douces*.

AIGUE-MARINE, s. f. pierre précieuse dont la couleur ressemble à celle de l'eau de mer. *Au pluriel* des *aigues-marines*.

ANTIVOL, s. m. invariable, chaîne cadenassée. | Serrure d'un véhicule.

APRÈS-MIDI, s. m. ou f. invariable, temps depuis le midi jusqu'au soir.

APPUI-TÊTE/APPUIE-TÊTE, s. m. invariable, rehaussement d'un dossier de siège pour soutenir la tête.

ARC-BOUTANT, s. m. pilier de voûte en demi-arc qui sert à soutenir un mur. | Soutien. *Au pluriel* des *arcs-boutants*.

ARC-EN-CIEL, s. m. météore en forme d'arc lumineux où sont disposées parallèlement les sept couleurs primitives. *Pluriel* des *arcs-en-ciel*.

ARRIÈRE, préfixe qui entre dans la composition de plusieurs mots (entre lesquels on met un trait d'union) pour leur faire signifier une idée de postériorité ; au pluriel, *arrière* reste invariable mais le second élément prend, lui, la forme plurielle : *arrière-boutiques, arrière-neveux.*

AVANT-BRAS, s. m. partie du bras depuis le coude jusqu'au poignet. *Au pluriel des avant-bras.*

AVANT-COUREUR, s. m. celui qui va devant quelqu'un et qui annonce son arrivée. | Tout ce qui annonce, présage un événement prochain. *Au pluriel des avant-coureurs.*

AVANT-GARDE, s. f. première ligne d'une armée. *Au pluriel des avant-gardes.*

AVANT-PROPOS, s. m. préface, introduction. *Pluriel des avant-propos.*

AVANT-SCÈNE, s. f. fauteuils près de la scène. *Au pluriel des avant-scènes.*

BAIN-MARIE, s. m. eau chaude dans laquelle on trempe un récipient pour faire chauffer son contenu. *Au pluriel des bains-marie.*

BAISEMAIN, s. m. action de baiser la main en signe de respect. *Au pluriel des baise-mains.*

BAS-FOND, s. m. terrain bas et enfoncé. | Élévation au fond de la mer au-dessus de laquelle il y a assez d'eau pour que tout vaisseau puisse y passer. *Au pluriel des bas-fonds.* Lieu où règne la misère.

BAS-RELIEF, s. m. sculpture qui a peu de saillie sur un fond uni. *Au pluriel des bas-reliefs.*

BASSE-COUR, s. f. cour où l'on tient la volaille et les bestiaux et où se trouvent les écuries. *Au pluriel des basses-cours.*

BASSE-FOSSE, s. f. cachot souterrain. *Cul de basse-fosse*, cachot creusé au-dessous de la basse-fosse. *Au pluriel* des *basses-fosses*.

BAS-VENTRE, s. m. partie la plus basse du ventre. *Au pluriel* des bas-ventres.

BEAU-FILS, s. m., BELLE-FILLE, s. f. fils, fille du mari ou de la femme qu'on épouse. | Gendre, bru. *Au pluriel* des *beaux-fils*, des *belles-filles*.

BEAU-FRÈRE, s. m. BELLE-SŒUR, s. f. celui ou celle dont on a épousé le frère ou la sœur, ou qui a épousé notre frère ou notre sœur. *Au pluriel* des *beaux-frères*, des *belles-sœurs*.

BEAU-PÈRE, s. m. BELLE-MÈRE, s. f. celui ou celle qui a épousé notre père ou notre mère, ou dont nous avons épousé l'enfant. *Au pluriel* des *beaux-pères*, des *belles-mères*.

BEC, s. m. partie dure et cornée qui tient lieu de bouche aux oiseaux. | Ce qui a la forme d'un bec. | Pointe de terre au confluent de deux rivières. *Dans les composés faits avec ce mot,* **bec** *prend la marque du pluriel :* des *becs-de-cane*, des *becs-de-lièvre…*

BEC-DE-CANE, s. m. poignée de serrure ayant cette forme.

BEC-DE-LIÈVRE, s. m. difformité qui fend la lèvre supérieure.

BERNARD-L'HERMITE / BERNARD-L'ERMITE, s. m. invariable, crustacé pagure qui se loge dans une coquille.

BEST-SELLER, s. m. livre à forte vente. *Au pluriel* des *best-sellers*.

BIEN-AIMÉ, E, adj. très aimé, préféré. | **s.** celui, celle qu'on aime tendrement. | Amant, maîtresse. *Au pluriel* des *bien-aimés*.

BLANC-BEC, s. m. jeune homme sans expérience. *Pluriel* des *blancs-becs*.

BLANC-SEING, s. m. signature apposée sur des papiers laissés en blanc. *Au pluriel* des *blancs-seings*.

BLUE-JEAN, s. m. pantalon de toile. *Au pluriel* des *blue-jeans*.

BOUTE-EN-TRAIN, s. m. invariable amuseur, personne gaie.

BOUTON-D'OR, s. m. plante à fleurs doubles et jaunes ; des *boutons-d'or*.

BRAS-LE-CORPS (à) : s'emploie dans l'expression *prendre à bras-le-corps*, c'est-à-dire se saisir de quelqu'un en lui entourant le milieu du corps avec ses deux bras.

BRIC-À-BRAC, s. m. invariable pièce mal rangée.

BRISE : les mots composés avec ce suffixe prennent un *s* même au singulier si le sens le justifie : un *brise-lames* parce qu'il y a plusieurs lames, *idem* pour un *brise-mottes*, mais un *brise-vent* s'il n'y a qu'un seul vent. *Au pluriel* des *brise-lames*, des *brise-glaces*...

BRÛLE-GUEULE, s. m. invariable pipe courte.

BRÛLE-PARFUM, s. m. cassolette dans laquelle on fait se consumer des parfums. *Au pluriel* des *brûle-parfums*.

BRÛLE-POURPOINT (à), loc. adv. à bout portant.

CACHE-CACHE, s. m. invariable jeu d'enfants.

CACHE-NEZ, s. m. invariable écharpe de laine dont on se couvre le bas du visage pour se protéger du froid.

CACHE-SEXE, s. m. invariable petit slip.

CAHIN-CAHA, loc. adv. tant bien que mal.

CASSE-COU, s. m. invariable homme téméraire.

CASSE-CROÛTE, s. m. repas rapide. *Pluriel des casse-croûte.*

CASSE-PIEDS, s. m. invariable gêneur, importun.

CASSE-TÊTE, s. m. massue. | Bruit continu et fatigant. | Occupation qui demande une grande concentration d'esprit. | Nom de jeux à combinaisons compliquées. *Pluriel des casse-tête.*

CERF-VOLANT, s. m. machine volante constituée d'une carcasse d'osier recouverte de papier, que l'on maintient en l'air contre le vent à l'aide d'une ficelle. *Au pluriel des cerfs-volants.*

CHASSE — Les mots composés formés avec *chasse* en préfixe : *chasse-marée, chasse-mouches, chasse-neige* sont invariables.

CHAT-HUANT, s. m. oiseau de nuit, sorte de hibou à plumage roux, rayé. *Pluriel des chats-huants.*

CHAUSSE-TRAPPE, s. f. piège à renards. | Assemblage de pointes de fer disposées en étoile, et qu'on jette sur le passage d'une cavalerie ennemie. *Pluriel* des *chausse-trappes*.

CHAUVE-SOURIS, **s. f.** petit mammifère volant et nocturne, aux ailes membraneuses. *Pluriel* des *chauves-souris*.

CHEF-D'ŒUVRE, **s. m.** ouvrage que faisait un artisan pour prouver sa capacité, afin d'être reçu maître dans sa profession. | Ouvrage parfait dans quelque genre que ce soit. *Pluriel* des *chefs-d'œuvre*.

CHEF-LIEU, **s. m.** ville principale d'une division administrative. *Pluriel* des *chefs-lieux*.

CHEVAU-LÉGER, **s. f.** soldat d'un corps de cavalerie légère sous l'Ancien Régime, les *chevau-légers*.

CHEWING-GUM, **s. m.** gomme à mâcher.

CHIEN-LOUP, **s. f.** chien qui tient du loup. *Pluriel* des *chiens-loups*.

CHOU-FLEUR, **s. m.** variété de chou. *Pluriel* des *choux-fleurs*.

CLAIRE-VOIE, **s. f.** espace entre des solives ou des poteaux. *Pluriel* des *claires-voies*.

CLAIR-OBSCUR, **s. m.** art du peintre de distribuer la lumière et les ombres. *Pluriel* des *clairs-obscurs*.

CLIN D'ŒIL, **s. m.** mouvement rapide de la paupière. *Pluriel* des *clins d'œil*.

CLOU DE GIROFLE, **s. m.** calice du giroflier, utilisé en cuisine pour épicer les sauces. *Pluriel* des *clous de girofle*.

COFFRE-FORT, **s. m.** coffre blindé et à serrure pour enfermer de l'argent. *Pluriel* des *coffres-forts*.

COMPTE RENDU, s. m. rapport fait à une réunion de personnes sur un objet qui les intéresse. *Pluriel* des *comptes rendus*.

CONTRE-JOUR, s. m. invariable endroit où la lumière du jour ne donne pas directement.

COQ-À-L'ÂNE, s. m. invariable discours dont les parties n'ont aucun rapport entre elles.

COU-DE-PIED, s. m. partie supérieure du pied qui se joint à la jambe. *Pluriel* des *cous-de-pied*. À ne pas confondre avec donner un *coup de pied*.

COUPE-GORGE, s. m. lieu mal famé. *Pluriel* des *coupe-gorge*.

CROC-EN-JAMBE, s. m. accrocher la jambe de quelqu'un pour le faire trébucher. *Pluriel* des *crocs-en-jambe*.

CROCHE-PIED, s. m. accrocher la jambe de quelqu'un pour le faire trébucher. *Pluriel* des *croche-pieds*.

CROQUE — Parmi les composés de *croque*, est invariable : *croque-monsieur*. Prennent la marque du pluriel les *croque-mitaines*, les *croque-morts*, les *croque-noisettes*.

CUL-DE-JATTE, s. m. qui n'a pas de jambes. *Pluriel* des *culs-de-jatte*.

CUL-DE-LAMPE, s. m. décoration triangulaire (pointe en bas), notamment utilisée en typographie à la fin des chapitres. *Pluriel* des *culs-de-lampe*.

CUL-DE-POULE, s. m. ne s'emploie que dans l'expression *avoir la bouche en cul-de-poule*, arrondir les lèvres en les resserrant.

CUL-DE-SAC, s. m. rue sans issue. Impasse. *Pluriel* des *culs-de-sac*.

DAME-JEANNE, s. f. grosse bouteille couverte de jonc, de paille ou d'osier. *Pluriel* des *dames-jeannes*.

DERNIER-NÉ, adj. le dernier de la famille dans l'ordre chronologique. Si *nouveau-né* est invariable, *dernier-né* s'accorde : des *derniers-nés*, une *dernière-née*.

EAU-DE-VIE, s. f. liqueur spiritueuse extraite de vin, du cidre, du grain. *Pluriel* des *eaux-de-vie*.

EAU-FORTE, s. f. acide nitrique. | Gravure faite avec de l'eau-forte. *Pluriel* des *eaux-fortes*.

EMPORTE-PIÈCE, s. m. invariable instrument pour découper.

EN-TÊTE, s. m. titre, ce qu'on écrit au haut d'un acte, d'une lettre. *Au pluriel* des *en-têtes*.

ESSUIE-MAINS, s. m. invariable linge pour essuyer les mains.

EX-VOTO, s. m. invariable offrande promise par un vœu. | Tableau symbolisant ce remerciement.

FAC-SIMILÉ, s. m. parfaite imitation d'une écriture, d'un texte. Copie. *Pluriel* des *fac-similés*.

FAIRE-PART, s. m. invariable lettre annonçant de façon cérémonieuse un événement généralement familial.

GARDE-CHASSE, s. m. celui qui a la garde du gibier dans un domaine. *Au pluriel* des *gardes-chasses*.

GARDE–FOU, s. m. barrière mise au bord des quais, des ponts, etc., pour empêcher de tomber. *Au pluriel* des *garde-fous*.

GARDE–MALADE, s. celui, celle qui garde et soigne un malade. *Au pluriel* des *gardes-malades*.

GARDE–MANGER, s. m. invariable lieu frais où l'on garde la viande, etc. | Petite armoire destinée au même usage.

GARDE–ROBE, s. f. chambre destinée à serrer le linge. | Tous les vêtements à l'usage d'une personne. *Au pluriel* des *garde-robes*.

GRATTE–CIEL, s. m. invariable immeuble élancé, de plusieurs dizaines d'étages.

GUET–APENS, s. m. embuscade. *Pluriel* des *guets-apens*.

HAUT–FOND, s. m. rochers ou sable presque à la surface des eaux de la mer. *Pluriel* des *hauts-fonds*.

HAUT–LE–CŒUR, s. m. invariable convulsion involontaire de l'estomac.

HAUT–LE–CORPS, s. m. invariable sursaut involontaire.

HAUT–PARLEUR, s. m. appareil pour amplifier le son. *Pluriel* des *haut-parleurs*.

LAISSER–ALLER, s. m. invariable abandon, négligence, facilité de mouvement.

LAISSEZ–PASSER, s. m. invariable permis de circuler.

LAPIS–LAZULI, s. m. invariable pierre quartzeuse bleue, mêlée de veines blanches. | Couleur bleu de mer.

MEA-CULPA, s. m. invariable *dire son mea-culpa,* se repentir ; avouer sa faute.

MORT-NÉ, adj. qui est né étant mort. *Féminin mort-née, pluriel mort-nés.*

NON-LIEU, s. m. *ordonnance de non-lieu,* qui déclare qu'il n'y a pas lieu à poursuites judiciaires.

NON-SENS, s. m. phrase qui n'offre aucun sens. | Absence de jugement.

NOUVEAU-NÉ, adj. et s. nouvellement né. *Pluriel* des *nouveau-nés.*

NUE-PROPRIÉTÉ, s. f. possession des choses dont un autre a l'usufruit. *Pluriel* des *nues-propriétés.*

ŒIL-DE-BŒUF, s. m. fenêtre ronde. *Pluriel* des *œils-de-bœuf.*

OISEAU-MOUCHE, s. m. très petit oiseau d'Amérique. *Pluriel* des *oiseaux-mouches.*

OUÏ-DIRE, s. m. invariable ce qu'on ne sait que sur le dire d'autrui.

PAPIER-MONNAIE, s. m. invariable papier qui a cours comme l'argent monnayé.

PASSE-PARTOUT, s. m. invariable clef qui sert à ouvrir plusieurs portes. | Cadre qui s'ouvre par-derrière et où l'on met des dessins, des gravures.

PASSE-TEMPS, s. m. invariable divertissement, occupation légère et agréable.

PÊLE-MÊLE, adv., mélangé, en désordre ; confusément.

PETITE-FILLE, s. f. fille du fils ou de la fille. *Pluriel :* des *petites-filles.*

PETIT-FILS, s. m. fils du fils ou de la fille. *Pluriel :* des *petits-fils.*

PIED-À-TERRE, s. m. invariable petit logement qu'on occupe passagèrement.

PIQUE-ASSIETTE, s. m. invariable parasite.

PIQUE-NIQUE, s. m. repas en plein air. *Pluriel* des *pique-niques*.

PLAT-BORD, s. m. bordage large et épais qui termine le pourtour d'un bateau. *Pluriel :* des *plats-bords*.

PLATE-BANDE, s. f. morceau de terre étroit autour d'un parterre. | Planche ou dalle étroite qui encadre un parquet ou un dallage. *Pluriel :* des *plates-bandes*.

PLATE-FORME, s. f. toit d'une maison plat et uni. | Ouvrage de terre élevé et uni par le haut. | Assemblage de solives pour placer du matériel. *Pluriel :* des *plates-formes*.

PORC-ÉPIC, s. m. rongeur couvert de piquants. *Pluriel :* des *porcs-épics*.

POST-SCRIPTUM, s. m. invariable ce qu'on écrit dans une lettre après la signature.

POT-AU-FEU, s. m. invariable viande et bouillon dans la marmite.

POT-DE-VIN, s. m. somme en sus du prix, à titre de cadeau. *Pluriel :* des *pots-de-vin*.

PRIE-DIEU, s. m. invariable pupitre avec un marchepied où l'on s'agenouille pour prier.

PROCÈS-VERBAL, s. m. acte écrit dans lequel un officier public rend témoignage de ce qu'il a vu ou entendu. | Compte rendu de la séance d'une assemblée. *Pluriel :* des *procès-verbaux*.

TROUBLE-FÊTE, s. m. invariable impor-
tun qui vient troubler la joie. | Accident,
événement qui produit le même effet.

VADE-MECUM, s. m. livre, chose qu'on
porte ordinairement avec soi. *Au pluriel* des
vade-mecum.

VA-ET-VIENT, s. m. invariable Mouve-
ment alternatif. | Dispositif électrique.

VOLTE-FACE, s. f. invariable *faire volte-
face,* faire face à ; se retourner.

MOTS PIÈGES

MOTS UNIQUEMENT MASCULINS

Pour « féminiser » les noms qui suivent, on leur ajoute *femme*, avant ou après (un témoin, une *femme témoin*, un agent, une *femme agent*).

ACOLYTE, s. m. clerc attaché au service de la messe. | Complice. *Ce mot n'a pas de féminin.*

ACQUÉREUR, s. m. acheteur. *Ce mot n'a pas de féminin.*

AGENT, s. m. tout ce qui exerce une action. | Celui qui agit au nom d'une personne ou d'une administration. *Ce mot n'a pas de féminin.*

AMATEUR, s. m. celui qui a du penchant, du goût pour quelque chose. *Ce mot n'a pas de féminin.*

APÔTRE, s. m. l'un des douze disciples de Jésus-Christ. | Celui qui se voue à la défense d'une doctrine, d'une opinion. *Ce mot n'a pas de féminin.*

AQUILIN, adj. *s'emploie toujours au **masculin*** courbé en bec d'aigle.

AUTEUR, s. m. première cause d'une chose. | Inventeur. | Homme ou femme qui a écrit un ouvrage. *Ce mot n'a pas de féminin.*

BANDIT, s. m. malfaiteur. *Ce mot n'a pas de féminin.*

BÂTONNIER, s. m. celui que les avocats choisissent pour les représenter. *Ce mot n'a pas de féminin.*

BOURGMESTRE, s. m. premier magistrat dans les villes d'Europe du Nord. *Ce mot n'a pas de féminin.*

BOURREAU, s. m. exécuteur de haute justice. | Homme cruel, inhumain. *Ce mot n'a pas de féminin.*

CENSEUR, s. m. magistrat de l'ancienne Rome, qui surveillait la conduite des citoyens. | Celui qui contrôle les actions d'autrui. | Critique. | Celui qui censure des livres, des journaux, des films. | Surveillant des études. *Ce mot n'a pas de féminin.*

CHARLATAN, s. m. faux médecin qui se vante de guérir toutes sortes de maladies. | Celui qui trompe par de belles paroles, de brillantes apparences. *Ce mot n'a pas de féminin.*

CHEF, s. m. la tête. | Celui qui est à la tête d'un corps, d'une assemblée, d'une armée ; qui a le principal rang, qui exerce une autorité. | Point, article, objet principal dans une discussion, dans une affaire. *Ce mot n'a pas de féminin.*

DÉFENSEUR, **s. m.** celui qui défend, qui protège. | Celui qui défend les accusés devant les tribunaux. *Ce mot n'a pas de féminin*.

DÉSERTEUR, **s. m.** celui qui abandonne une armée, une cause, un parti. *Ce mot n'a pas de féminin*.

DIPLOMATE, **s. m.** celui qui est habile à concilier. Ce mot n'a pas de féminin.

ÉCHEVIN, **s. m.** ancien officier qui était chargé de la police des villes. *Ce mot n'a pas de féminin*.

ÉCRIVAIN, **s. m.** maître à écrire. | Celui qui écrit pour le public des lettres, des ouvrages littéraires. *Ce mot n'a pas de féminin*.

ÉMULE, **s. m.** concurrent, antagoniste, rival. *Ce mot n'a pas de féminin*.

FILOU, **s. m.** voleur adroit. Larron. *Ce mot n'a pas de féminin*.

GOURMET, **s. m.** amateur et connaisseur en vins et en bonne chère. *Ce mot n'a pas de féminin*.

GROGNON, **s. et adj.** qui est d'humeur chagrine. *Ce mot n'a pas de féminin*.

GUIDE, **s. m.** celui qui accompagne quelqu'un pour lui montrer son chemin. | Personne, manuel qui donne des avis, des instructions. *Ce mot n'a pas de féminin*.

HURLUBERLU, **s. m.** étourdi, écervelé. *Ce mot n'a pas de féminin*.

IMPOSTEUR, **s. m.** trompeur, calomniateur. | Inventeur et propagateur d'une fausse doctrine. *Ce mot n'a pas de féminin*.

IMPRIMEUR, **s. m.** industriel spécialisé dans l'impression d'ouvrages. *Ce mot n'a pas de féminin.*

INGÉNIEUR, **s. m.** scientifique qui dirige des travaux industriels. *Ce mot n'a pas de féminin.*

JUGE, **s. m.** celui qui a le droit de juger. | Magistrat. | Arbitre. *Ce mot n'a pas de féminin.*

LAIDERON, **s. masculin** jeune fille ou femme laide.

LITTÉRATEUR, **s. m.** homme de lettres. *Ce mot n'a pas de féminin.*

MALFAITEUR, **s. m.** celui qui fait de mauvaises actions, qui commet des crimes. *Ce mot n'a pas de féminin.*

MÉDECIN, **s. m.** celui qui exerce la médecine. *Ce mot n'a pas de féminin.*

MODÈLE, **s. m.** exemple. Gabarit. | Personnage ou objet, d'après lesquels les artistes dessinent ou peignent. | Ce qui doit être un objet d'imitation ; ce qu'il faut suivre, en parlant des personnes et des choses. *Ce mot n'a pas de féminin.*

MONSTRE, **s. m.** être, objet dont la conformation est contraire à l'ordre de la nature. | Qui est très laid. | Personne cruelle et dénaturée. *Ce mot n'a pas de féminin.*

OPPRESSEUR, **s. m.** celui qui opprime. *Ce mot n'a pas de féminin.*

PEINTRE, **s. m.** celui qui peint. *Ce mot n'a pas de féminin.*

POSSESSEUR, s. m. celui qui possède un bien. *Ce mot n'a pas de féminin.*

PROFESSEUR, s. m. celui, celle qui enseigne une science, un art. | Celui qui possède parfaitement une science, un art, un talent quelconque. *Ce mot n'a pas de féminin.*

SAUVEUR, s. m. celui qui sauve. *Ce mot n'a pas de féminin.*

SCULPTEUR, s. m. celui qui exerce l'art de sculpter. *Ce mot n'a pas de féminin.*

SNOB, s. m. faux mondain. *Ce mot n'a pas de féminin.*

SOLDAT, s. m. militaire qui n'a point de grade. | Homme de guerre. *Ce mot n'a pas de féminin.*

SUCCESSEUR, s. m. celui qui succède à un autre. *Ce mot n'a pas de féminin.*

TÉMOIN, s. m. celui qui dépose de ce qu'il a vu ou entendu. | Spectateur. | Personne qui assiste à un contrat, à la signature d'un acte, à un duel. *Ce mot n'a pas de féminin.*

VAINQUEUR, s. m. celui qui a vaincu ses ennemis. | Celui qui a remporté quelque avantage sur un concurrent. | Ce qui surmonte les obstacles, qui dompte les difficultés. *Ce mot n'a pas de féminin.*

VALET, s. m. domestique, serviteur. *Ce mot n'a pas de féminin.*

VOYOU, s. m. vaurien. | Crapule. *Ce mot n'a pas de féminin.*

MOTS MASCULINS
SOUVENT CRUS
FÉMININS

ABÎME, s. masculin gouffre sans fond. |
Abîme de science : savant.

ACROSTICHE, s. masculin petite pièce de
poésie dont chaque vers commence par une
lettre du nom de la personne ou de la chose
qui en fait le sujet.

AÉROLITHE, s. masculin pierre tombée du
ciel.

ALBÂTRE, s. masculin marbre transparent
et veiné dont une variété est blanche.

ALCOOL, s. masculin liquide obtenu par la
distillation des substances sucrées qui ont
subi la fermentation.

AMALGAME, s. masculin mélange ; confusion de personnes ou de choses qui n'ont
naturellement aucun rapport.

AMBRE, s. masculin substance odorante à
la consistance de la cire. | Résine fossile dure,
transparente.

AMIANTE, s. masculin minéral fibreux et
incombustible.

AMOUR, s. masculin *(autrefois féminin)*
penchant pour le beau, l'aimable. | Pen-
chant naturel des deux sexes l'un pour
l'autre. | Vif attachement. Affection. Pas-
sion.

ANATHÈME, s. masculin malédiction.

ANTRE, s. masculin caverne, enfoncement
profond et obscur.

APARTÉ, **s. masculin** paroles que l'on dit à part, à voix basse. *pluriel des apartés.*

APHTE, **s. masculin** petit ulcère qui vient dans la bouche, ou sur une muqueuse.

APOGÉE, **s. masculin** point où une planète est à sa plus grande distance de la terre. | Le plus haut degré d'élévation dans les prospérités humaines.

APOLOGUE, **s. masculin** fable morale.

APPENDICE, **s. masculin** partie d'un corps qui semble y avoir été surajoutée, et forme un tout avec lui. | Supplément à la fin d'un ouvrage.

APRÈS-MIDI, **s. masculin ou féminin invariable** temps depuis le midi jusqu'au soir.

ARCANE, **s. masculin** *souvent employé au pluriel* opération mystérieuse.

ARÉOPAGE, **s. masculin** réunion de magistrats intègres, de sages.

ARMISTICE, **s. masculin** suspension d'armes provisoire.

ARÔME, **s. masculin** parfum, principe odorant des végétaux.

ARTIFICE, **s. masculin** ruse, déguisement, fraude.

ARTISAN, **s. m.** ouvrier dans un art mécanique. | L'auteur, la cause. *Au féminin artisane, rarement utilisé.*

ASTÉRISQUE, **s. masculin** petite marque en forme d'étoile pour indiquer un renvoi.

ASTÉROÏDE, **s. masculin** petite planète.

ATOME, **s. masculin** corps supposé indivisible à cause de sa petitesse. | Principes qui servent d'éléments aux corps.

AUGURE, s. masculin celui qui, chez les Romains, avait pour fonctions de juger de l'avenir par le vol, le chant ou la manière de manger des oiseaux. | Présage.

AUTODAFÉ, s. masculin exécution d'un jugement de l'Inquisition qui condamnait aux flammes. Destruction par le feu. *Au pluriel des autodafés.*

AUTOGRAPHE, s. masculin écrit ou signature d'un personnage célèbre.

AUTOMNE, s. masculin une des quatre saisons. | Âge de l'homme qui approche de la vieillesse.

AXIOME, s. masculin vérité évidente par elle-même, proposition générale reçue et établie dans une science.

BACILLE, s. masculin bactérie, microbe. [prononcer *bacile*].

BALUSTRE, s. masculin petit pilier façonné.

BASALTE, s. masculin roche volcanique.

CADUCÉE, s. masculin attribut de Mercure, baguette entourée de deux serpents. | Symbole du corps médical.

CAMÉE, s. masculin pierre fine composée de deux ou plusieurs couches de couleurs différentes sur laquelle on grave en relief. | Tableau d'une seule couleur.

CÉNOBITE, s. masculin moine qui vit en communauté, par opposition à l'*anachorète*, qui vit seul.

CÉTACÉ, s. masculin grand mammifère marin.

CHRYSANTHÈME, s. masculin plante qui donne des fleurs en automne.

CONJOINT, s. m. uni par les liens du mariage. *Le substantif ne s'emploie qu'au masculin* ; une veuve est désignée *conjoint survivant.*

ÉCLIPTIQUE, s. masculin orbe que décrit la Terre dans son mouvement annuel autour du Soleil.

EDELWEISS, s. masculin fleur blanche qui pousse en montagne.

EFFLUVE, s. masculin parfum. *S'emploie surtout au pluriel.*

ÉLYTRE, s. masculin chez les coléoptères, partie qui protège les ailes en leur servant d'étui.

EMBLÈME, s. masculin figure symbolique.

EMPLÂTRE, s. masculin remède qu'on applique sur la partie malade.

ÉPILOGUE, s. masculin conclusion.

ÉQUINOXE, s. masculin égalité des jours et des nuits qui a lieu lors de l'apparition du soleil dans les points d'intersection de l'écliptique et de l'équateur : *l'équinoxe du printemps a lieu le 20 ou 21 mars ; l'équinoxe d'automne le 20 ou 21 septembre.*

ESCLANDRE, s. masculin insulte avec scandale ; scène bruyante et désagréable.

FILIGRANE, s. masculin ouvrage d'orfèvrerie en filets à jour.

FOLLICULE, s. masculin petite poche membraneuse et vasculaire dans l'épaisseur de la peau et des membranes muqueuses, à la surface desquelles elle verse des liquides. | Fruit capsulaire, membraneux, univalve, qui s'ouvre par une suture longitudinale.

GIROFLE, s. masculin bouton de fleur des-séchée du giroflier, dit *clou de girofle* à cause de sa forme, utilisé comme épice.

GYNÉCÉE, s. masculin appartement des femmes chez les Grecs.

HALTÈRE, s. masculin instrument de musculation formé d'une barre aux extrémités de laquelle on dispose des poids.

HARMONICA, s. masculin instrument de musique.

HÉLIOTROPE, s. masculin nom générique des plantes dont le disque se tourne du côté du soleil.

HÉMISPHÈRE, s. masculin demi-globe. | Moitié du globe terrestre.

HÉMISTICHE, s. masculin moitié d'un vers.

HYMEN/HYMÉNÉE, s. masculin divinité qui présidait aux noces. | Mariage.

HYMNE, s. masculin poème en l'honneur des dieux et des héros. | **S. féminin** chant d'église.

HYPOGÉE, s. masculin sépulture souter-raine.

INSIGNE, s. masculin marque extérieure d'un grade, d'une dignité, d'une fonction.

INTERSTICE, s. masculin petit intervalle.

IVOIRE, s. masculin substance osseuse, blanche et dure, qui provient des dents. | Blancheur.

LANGE, s. masculin couverture de laine ou de coton qui sert à emmailloter un enfant.

MAUSOLÉE, s. masculin tombeau somp-tueux. | Catafalque.

MÉTÉORE, s. masculin phénomène lors de l'entrée dans l'atmosphère d'une météorite.

MÉTÉORITE, s. masculin ou féminin morceau de matière traversant l'espace.

MUSÉE, s. masculin lieu où sont rassemblées les productions des sciences et des beaux-arts. *Les musées, cimetières des arts.* (Lamartine.)

OBÉLISQUE, s. masculin monument quadrangulaire en forme d'aiguille, élevé sur un piédestal.

OPPROBRE, s. masculin affront, honte, ignominie. | Infamie.

OPUSCULE, s. masculin petit ouvrage de science ou de littérature.

ORBE, s. masculin espace que parcourt une planète dans sa révolution. | Globe, cercle, circonférence.

PANTOMIME, s. masculin acteur dont les gestes suppléent à la parole. | **s. féminin** art du pantomime. | Pièce exprimée par les gestes.

PÉTALE, s. masculin chacune des pièces qui composent la corolle d'une fleur.

PLANISPHÈRE, s. masculin carte qui représente sur un plan les deux hémisphères célestes ou terrestres.

PLÉBISCITE, s. masculin vote de confiance demandé à tous les citoyens.

PRUD'HOMME, s. m. arbitre élu pour juger les différends entre les employeurs et les salariés. *Féminin : une femme prud'homme.*

PYGMÉE, s. masculin petit homme.

SCARABÉE, s. masculin nom générique des insectes à ailes membraneuses renfermées dans des étuis écailleux.

STIGMATE, s. masculin marque d'une plaie.

TENTACULE, s. masculin appendice mobile qui sert d'organe tactile à certains animaux.

MOTS FÉMININS

En règle générale le féminin des noms se forme en ajoutant un *e* au masculin (*un marchand*, *une marchande*).

Les noms masculins terminés par *er* se terminent en *ère* au féminin (*un épicier*, *une épicière*).

Les noms masculins terminés en *eur* peuvent, au féminin, se terminer en *esse* (*un enchanteur*, *une enchanteresse*), *euse* (*un vendeur*, *une vendeuse*) ou *ice* (*un directeur*, *une directrice*).

Des noms masculins en *e* peuvent, au féminin, se terminer en *esse* (*un diable*, *une diablesse*). | Des noms masculins, au féminin, doublent la consonne finale (*le chien*, *la chienne*), ou changent cette consonne finale (*le sportif*, *la sportive*).

Certains mots féminins n'ont pas la même racine que leur masculin : bélier = brebis ; bouc = *chèvre* ; cerf = *biche* ; cheval = *jument* ; coq = *poule* ; garçon = *fille* ; gendre = *bru* ; homme = *femme* ; jars = *oie* ; lièvre = *hase* ; mâle = *femelle* ; monsieur = *madame* ; oncle = *tante* ; père =

mère ; sanglier = *laie* ; taureau = *vache* ; verrat = *truie*.

MOTS UNIQUEMENT FÉMININS

AMAZONE, s. féminin femme intrépide. *Ce mot n'a pas de masculin.*
LAVANDIÈRE, s. f. blanchisseuse. *Ce mot n'a pas de masculin.*
NONNE, s. f. religieuse. *Ce mot n'a pas de masculin.*
NOURRICE, s. f. femme qui allaite un enfant qui n'est pas le sien, ou qui lui donne ses soins. *Ce mot n'a pas de masculin.*

MOTS FÉMININS SOUVENT CRUS MASCULINS

ABSCISSE, s. féminin portion de l'axe (horizontal) d'une courbe.
ACNÉ, s. féminin maladie bénigne de la peau.
ACOUSTIQUE, s. féminin étude des sons.
ALCÔVE, s. féminin enfoncement dans une chambre pour recevoir un lit.
ALGÈBRE, s. féminin science du calcul ; branche des mathématiques.
ANAGRAMME, s. féminin transposition des lettres d'un mot, de façon qu'elles forment un autre mot.

ANICROCHE, s. féminin difficulté, obstacle.

ANKYLOSE, s. féminin paralysie.

ANTIENNE, s. féminin chanson monotone. [*On prononce le* t].

ANTILOPE, s. féminin mammifère ruminant, à cornes creuses.

APNÉE, s. féminin défaut de respiration.

APOCOPE, s. féminin retranchement de quelques lettres à la fin d'un mot.

ARÊTE, s. féminin partie dure et piquante qui soutient la chair des poissons. | Le squelette entier d'un poisson. | Angle saillant que forment deux faces. | Ligne formée par les sommets des montagnes qui forment une chaîne.

ASYMÉTRIE, s. féminin absence de symétrie.

ATMOSPHÈRE, s. féminin masse d'air qui environne la terre. | L'air d'un pays, d'un lieu. | Mesure de pression.

AUTOPSIE, s. féminin examen médical d'un cadavre.

AUTOROUTE, s. féminin route à plusieurs voies, sur lesquelles on roule dans le même sens.

BERGAMOTE, s. féminin sorte de poire fondante. | Orange odorante.

ÉBÈNE, s. féminin bois dur, compact, noir et pesant. | Couleur d'un beau noir.

ÉCHAPPATOIRE, s. féminin ruse, moyen adroit pour sortir d'embarras.

ÉGIDE, s. féminin protection.

ENCAUSTIQUE, s. féminin préparation faite avec de la cire et de l'essence de térébenthine, qu'on étend sur les parquets et sur certains meubles pour leur donner du lustre, du poli.

ÉPIGRAMME, **s. féminin** inscription. | Court et malicieux poème. | Raillerie.

ÉPIGRAPHE, **s. féminin** inscription sur un monument. | Citation en exergue.

ÉPITAPHE, **s. féminin** inscription sur un tombeau ou faite pour y être mise.

ÉPÎTRE, **s. féminin** lettre, missive des Anciens. | Discours en vers adressé à quelqu'un. | Partie de la messe où l'on lit un passage des Épîtres des apôtres.

ÉQUIVOQUE, **s. féminin** double sens d'un mot, d'une phrase.

GEMME, **s. féminin** minéral d'une pierre précieuse. | *Sel gemme* : sel tiré des mines.

GENT, **s. féminin** espèce, race.

MÉTÉORITE, **s. masculin ou féminin** morceau de matière traversant l'espace.

OCTAVE, **s. féminin** ton éloigné d'un autre de huit degrés, les deux extrémités comprises.

OMOPLATE, **s. féminin** os large, aplati et triangulaire à la partie postérieure de l'épaule. | Le plat de l'épaule.

ONOMATOPÉE, **s. féminin** formation d'un mot dont le son est imitatif de ce qu'il désigne.

ORBITE, **s. féminin** chemin décrit par une planète. | Cavité circulaire de l'œil.

ORIFLAMME, **s. féminin** étendard que faisaient porter les anciens rois de France, quand ils allaient à la guerre.

PANTOMIME, **s. masculin** acteur dont les gestes suppléent à la parole. | **s. féminin**

art du pantomime. | Pièce exprimée par les gestes.

PRIMEUR, s. **féminin** première saison de certaines productions végétales. | Nouveauté.

SCOLOPENDRE, s. **féminin** variété de fougère. | mille-pattes.

VÉSICULE, s. **féminin** nom de différents organes qui ont la forme d'une petite vessie. | Petite cloque qui se forme sur la peau.

MOTS DIFFICILES À ORTHOGRAPHIER

ABANDONNÉ, E, adj. délaissé, désert. On est *abandonné **par*** ses amis, ou *abandonné **de*** tous.

ABOYER, v. i. crier, en parlant des chiens. | Crier contre quelqu'un. Se construit avec à ou *après. Dans les terminaisons en **oyer**, le y est remplacé par le i devant un e **muet**, sauf envoyer. Conjugaison 1er groupe.*

ABSOUDRE, v. t. décharger d'un crime. | Pardonner. | Remettre les péchés à un pénitent. *Absoudre, comme **dissoudre**, n'a pas de passé simple, ni d'imparfait du subjonctif. Participes passés :* **absout**, **absoute**. *Conjugaison 3e groupe.*

ACCAPARER, v. t. s'emparer de biens pour son usage exclusif, voler. | Occuper complètement le temps, les pensées. | **S'accaparer**, v. pr. s'emparer de (*se dit des choses, non des personnes). Conjugaison 1er groupe.*

ACCEPTER, v. t. recevoir, agréer. On peut accepter (*un don*), accepter de (*je ne veux rien accepter de cet homme*), accepter que — suivi du subjonctif (*acceptez que je vous suive*). *Conjugaison 1ᵉʳ groupe*.

ACCOUPLER, v. t. mettre deux à deux. | Apparier un mâle et une femelle pour la reproduction. *Accoupler ensemble : pléonasme à éviter ! Conjugaison 1ᵉʳ groupe*.

ACCOURIR, v. i. se rendre promptement vers une personne ou vers un lieu. [*Se cons truit avec* être *ou* avoir : *il* est *accouru au bruit ; les siens* ont *accouru à son secours*] *Conjugaison 3ᵉ groupe*.

ACCROUPIR (s'), v. pr. se tenir assis sur les talons (personnes), sur la croupe (animaux). *Conjugaison 2ᵉ groupe*.

ACHETER, v. t. acquérir à prix d'argent. *Acheter une chose à quelqu'un* a deux sens : on achète cette chose pour une tierce personne, ou l'on achète cette chose à ce quelqu'un. *Conjugaison 1ᵉʳ groupe*.

ADMETTRE, v. t. accepter. Reconnaître. | Souscrire à. | Tolérer. | *Admettre à* commande l'infinitif. *Admettre dans* (ou *en*) concerne des lieux : être admis dans une maison. *Admettre parmi* (ou *entre*) contient une idée de nombre : *être admis parmi l'élite. Admettre que*, c'est reconnaître pour vrai. *Conjugaison 3ᵉ groupe*.

ADVENIR, v. unipersonnel, arriver par hasard. S'emploie rarement, sauf dans les expressions *il advient que* (suivi du subjonctif) ; *que va-t-il advenir de, qu'en adviendra-t-il ?*

AGRAFE, s. f. crochet pour tenir deux choses ensemble.

AÏEUL, AÏEUX, s. m. le père du père ou de la mère. | Ancêtres. *Au pluriel, on met* **AÏEULS** *pour les grands-parents,* **AÏEUX** *pour les ancêtres.* **AÏEULE, s. féminin** la mère du père ou de la mère.

AIGU, adj. *(au féminin AIGUË)*, terminé en pointe ou en tranchant. | Clair, perçant. | Vif. | *Accent aigu* (*é*) qu'on met sur les e fermés qui terminent la syllabe. | *Angle aigu*, moins ouvert qu'un droit.

AMARANTE, adj. invariable, de couleur rouge (comme la fleur du même nom).

AMBASSADEUR, s. m. envoyé d'une puissance auprès d'une autre, pour la représenter. | Personne porteuse d'un message. *Au féminin,* **AMBASSADRICE**, *et non* ambassadeuse, *malgré la règle du féminin des noms en* eur.

AMBIGU, adj. *au féminin* **AMBIGUË**, qui présente deux sens différents ; louche. | Équivoque.

AMBIGUÏTÉ, s. féminin équivoque.

AMPHITHÉÂTRE, s. masculin enceinte ronde, avec des gradins pour s'asseoir.

AMYGDALE, s. féminin glande en forme d'amande au fond de la gorge.

ANACHORÈTE, s. m. ermite, moine seul dans un désert. | Homme retiré du monde.

ANACHRONISME, s. m. erreur de date, faute contre la chronologie. | Erreur qui attribue à une époque des idées, des mœurs, des usages qui appartiennent à une autre.

ANGORA, s. m. nom qu'on donne au chat, au lapin et à la chèvre originaires d'Angora (Ankara), remarquables par leur poil long et soyeux. **Invariable** lorsqu'il est pris comme adjectif.

APITOYER, v. t. exciter la pitié, toucher, attendrir. *Dans les verbes du 1ᵉʳ groupe dont l'infinitif se termine en **oyer**, le y est remplacé par un i devant un e muet (sauf **envoyer**).* *Conjugaison 1ᵉʳ groupe.*

APOCRYPHE, adj. caché, supposé, dont l'authenticité est douteuse.

APPUYER, v. t. soutenir par un appui. | Poser contre un appui. | Protéger, aider. | **v. i.** peser sur. | Insister fortement. | **S'appuyer, v. pr.** se servir de quelqu'un ou de quelque chose pour appui. *Pour les verbes du 1ᵉʳ groupe dont l'infinitif se termine en **uyer**, le y est remplacé par un i devant un e muet.* *Conjugaison 1ᵉʳ groupe.*

ARRHES, s. féminin pluriel argent qu'on donne comme gage de l'exécution d'un marché. | Assurance.

ASPHALTE, s. masculin bitume noir qui se solidifie à l'air.

ASPHYXIE, s. féminin étouffement.

ASSEOIR, v. t. mettre sur un siège. | Poser sur une base solide. *Conjugaison 3ᵉ groupe.*

ATERMOYER, v. t. retarder. | Tergiverser. *Conjugaison 1ᵉʳ groupe. Dans les verbes du 1ᵉʳ groupe dont l'infinitif se termine en **oyer**, le y est remplacé par un i devant un e muet.*

AU, AUX, article forme contractée de **à le**, **à les**.

AUTOMNAL, E, adj. qui appartient à l'automne.

À VAU-L'EAU, locution adverbiale, au fil de l'eau.

AVENU (NUL ET NON), expression signifiant nul, inexistant.

AZIMUT, s. masculin arc de l'horizon compris entre le méridien et un cercle vertical quelconque, dans lequel se trouve le soleil ou une étoile. | Direction.

B, s. m. seconde lettre de l'alphabet, et première des consonnes. Le *b* final se prononce toujours sauf dans RADOUB, PLOMB, DOUBS. La lettre *b* ne se redouble que dans les mots ABBAYE, ABBÉ, ABBATIALE, ABBESSE, GIBBOSITÉ, RABBIN, SABBAT.

BAGOUT, s. m. bavardage par lequel on cherche à convaincre. *Ne prend pas d'accent circonflexe sur le U.*

BAI, E, adj. rouge-brun, pour la robe d'un cheval. Associé avec un autre adjectif de couleur, il est *invariable* : une jument bai-foncé.

BAILLEUR, BAILLERESSE, s. celui, celle qui donne à bail. | *Bailleur* de fonds, qui fournit de l'argent.

BANDOULIÈRE, s. f. large baudrier de cuir ou d'étoffe. *Porter en bandoulière*, porter en sautoir derrière le dos.

BANQUETER, v. i. faire un banquet. | Faire bonne chère. **Conjugaison 1ᵉʳ groupe.** *L'e prend un accent grave, ou le t se double quand la syllabe qui suit est muette :* je banquête, *ou* banquette ; je banquèterai *ou* banquetterai.

BAPTISER, v. t. conférer le baptême. | Donner un nom, ou un sobriquet. | *Baptiser* du vin, y mettre de l'eau. *Conjugaison 1er groupe*.

BARÈME, s. m. tableaux chiffrés. S'écrivait autrefois *barrême*, ou encore *barême*.

BASTINGAGE, s. m. parapet autour d'un bateau.

BASTRINGUE, s. m. petit bal.

BAYADÈRE, s. f. danseuse indienne.

BECQUETER ou **BÉQUETER, v. t.** donner des coups de bec. *Conjugaison 1er groupe*.

BÉER v. i. être grand ouvert. *Conjugaison 1er groupe*.

BÉGAYER, v. i. couper les mots et répéter les syllabes en parlant. | Commencer à parler. | Balbutier. *Conjugaison 1er groupe*.

BIBLE, s. f. livre sacré des chrétiens, l'Écriture sainte. | Ouvrage unique en son genre, livre de référence. Lorsqu'il s'agit de la *Bible* livre sacré, on met une majuscule ; lorsqu'il s'agit seulement d'un ouvrage de référence, on écrit *bible*.

BIENNAL, E, adj. qui dure deux ans. | Qui revient tous les deux ans. *Au pluriel masculin* biennaux.

BIFTECK, s. m. tranche de bœuf grillée.

BILLION, s. m. mille millions.

BISAÏEUL, E, s. le père, la mère de l'aïeul ou de l'aïeule. *Au pluriel bisaïeuls, bisaïeules*.

BIZARRERIE, s. f. qualité, caractère de ce qui est bizarre. | Singularité.

BONBON, s. m. friandise sucrée. *Exceptionnellement, on met un n devant le b*, ainsi que dans **BONBONNE, s. f.** récipient, et **BONBONNIÈRE, s. f.** boîte à bonbons. | Petit appartement accueillant.

BONHOMIE, s. f. bonté et simplicité naturelles.

BONHOMME, s. m. qui montre de la bonhomie. | Dessin, caricature représentant un petit homme. *Au pluriel des bonshommes*.

BOULEVERSER, v. t. abattre, ravager. | Agiter violemment. *Conjugaison 1ᵉʳ groupe*.

BOURSOUFLER, v. t. gonfler, devenir empâté. *Conjugaison 1ᵉʳ groupe*.

BOYCOTTER, v. t. mettre un produit en interdit. | Mettre en quarantaine. *Conjugaison 1ᵉʳ groupe*.

BRAIE, s. f. caleçon gaulois. S'emploie surtout au pluriel.

BRAIMENT, s. m. cri de l'âne.

BRAIRE, v. i. crier comme un âne. *Ne s'emploie pas au passé simple. Conjugaison 3ᵉ groupe*.

BRIC (de — et de broc), loc. adverbiale constitué d'éléments pris n'importe où, sans cohérence.

BRINQUEBALER, v. t. secouer de droite à gauche. *Conjugaison 1ᵉʳ groupe*.

BROC, s. m. grand vase.| Son contenu. Le *c* final ne se prononce pas.

BROIEMENT, s. f. action de broyer.

BROUHAHA, s. m. bruit confus provoqué par une assemblée.

BROYER, **v. t.** écraser, réduire en poudre. *Conjugaison 1er groupe*. *Pour les verbes en oyer, le y est remplacé par un i devant un e muet*.

BRUINER, **v. i.** tomber une petite pluie fine et froide. *Conjugaison 1er groupe*.

BRUIRE, **v. i.** produire un son indistinct, confus (*n'est guère usité qu'à l'infinitif, à la 3e personne du singulier du présent, et aux 3e personnes de l'imparfait de l'indicatif ; il bruit ; il bruissait ; ils bruissaient*).

BYZANTIN, **E**, **adj.** de Byzance. | Compliqué, touffu.

C, **s. m.** troisième lettre de l'alphabet et deuxième des consonnes. | Chez les Romains, lettre numérale signifiant cent. | Le *c* se prononce comme un *s* devant *e*, *i*, *y* (*ciel*), et quelquefois devant *a*, *o*, *u* mais dans ce cas le *c* a une cédille (*ç*). Dans les autres cas, devant *a*, *o*, *u*, il se prononce *k* (*calotte*) ; *idem* devant une consonne (*tocsin*), ainsi qu'à la fin des mots dont l'avant-dernière lettre est une voyelle (*sac*) sauf ESTOMAC, TABAC, CROC, ACCROC ET ESCROC. Il se prononce *g* dans SECOND, SECONDER, SECONDAIRE. | Les adjectifs en *c* font *che* au féminin : *blanc — blanche* ; sauf AMMONIAC = *ammoniaque*, CADUC = *caduque*, FRANC = *franque* (lorsqu'il s'agit du peuple, sinon *franche*) GREC = *grecque*, PUBLIC = *publique*, TURC = *turque*.

ÇA, contraction pour *cela*.

CABALE, **KABALE s. f.** tradition juive sur l'interprétation de la Bible. | Art ésotérique.

CACAHUÈTE/CACAHOUÈTE/CACA-HOUETTE, **s. m.** fruit de l'arachide.

CACHETER, **v. t.** fermer en mettant l'empreinte d'un cachet. | Fermer une enveloppe de courrier. ***Conjugaison 1ᵉʳ groupe.*** *Aux trois premières personnes du singulier de l'indicatif et du subjonctif présent, et à la 2ᵉ personne de l'impératif, le **t** est doublé : je (il) cachette, tu cachettes, que je (il) cachette, que tu cachettes ; cachette ! Idem aux trois personnes du singulier du futur et du conditionnel présent : je cachetterai, tu cachetteras, il cachettera ; je (tu) cachetterais, il cachetterait. Dans les autres cas, un seul **t** : vous cachetez...*

CACHEXIE, **s. f.** état de dépérissement qui survient dans certaines maladies chroniques.

CACOCHYME, **adj.** malsain ; maladif. | Aigri, bourru, fantasque.

CACOPHONIE, **s. f.** effet produit par l'assemblage de voix ou d'instruments discordants.

CADDIE, CADDY, **s. m.** porteur, au golf. | Chariot léger utilisé dans les magasins à grande surface. *Au pluriel des caddies.*

CADUC, CADUQUE, **adj.** vieux, cassé, qui approche de sa fin. | Près de s'écrouler, qui menace ruine. | *Contrat caduc*, qui n'est plus valable. | *Mal caduc*, épilepsie.

CALEMBOUR, **s. m.** jeu de mots fondé sur le double sens d'un mot.

CALEMBREDAINE, **s. f.** vains propos.

CALIFOURCHON (à), loc. adv. jambe de çà, jambe de là, comme quand on est à cheval.

CALLIGRAPHIER, v. t. dessiner des lettres. | Écrire avec soin. *Conjugaison 1ᵉʳ groupe.*

CALVAIRE, s. m. mont de Jérusalem où Jésus-Christ a été crucifié. | Petite élévation où l'on plante une croix. | Longue suite de souffrances. Lorsqu'il s'agit du lieu du supplice du Christ, s'écrit avec majuscule.

CAMAÏEU, s. m. pierre fine de deux couleurs. | Pierre fine sur laquelle on a gravé une figure. Tableau d'une seule couleur. *Pluriel* des *camaïeux*.

CAMAIL, s. m. vêtement d'ecclésiastique qui couvre la tête et les épaules. *Pluriel camails.*

CAMPHRE, s. m. substance aromatique, qu'on extrait du laurier-camphrier.

CANTHARIDE, s. f. insecte qui, réduit en poudre, s'emploie en médecine. On attribuait à cette poudre des propriétés aphrodisiaques.

CANTONADE, s. f. intérieur des coulisses, dans un théâtre. | *Crier à la cantonade* : crier à l'intention de personnes non visibles.

CAOUTCHOUC, s. m. gomme élastique, résine qu'on retire des hévéas. | Matière souple, élastique et imperméable

CAPARAÇON, s. m. couverture pour les chevaux.

CAPHARNAÜM, s. m. bric-à-brac. Boutique mal rangée.

CARIATIDE, s. féminin statue de femme ou d'homme qui soutient une corniche.

CASUEL, LE, adj. fortuit, accidentel, qui peut arriver ou ne point arriver. | **S. m.** revenu fortuit d'un emploi.

CATACLYSME, s. m. bouleversement causé par un phénomène physique. | Révolution, bouleversement social.

CATARACTE, s. f. chute des eaux d'une rivière lorsqu'elles se précipitent avec fracas d'un endroit très élevé. | Humeur qui, en s'amassant sur le cristallin, l'obscurcit et empêche une vision nette.

CATHÉDRALE, s. f. église épiscopale (siège de l'évêque).

CATIMINI (en), loc. adv. en cachette, avec précaution.

CEINDRE, v. t. environner, mettre autour. | Serrer, entourer quelque partie du corps. *Conjugaison 3ᵉ groupe*.

CÉNOTAPHE, s. m. tombeau vide érigé à la mémoire d'un mort.

CENTÉSIMAL, E, adj. tout nombre moindre que cent. | En cent parties.

CERCUEIL, s. m. coffre où l'on met un mort.

CH, se prononce soit *che* (chut, champion, choix) soit *ke* (chlore, chœur...).

CHAMAN, s. m. sorcier dans les cultures amérindiennes et sibériennes.

CHAOS, s. m. confusion de toutes choses. État où était le monde avant la Création. | Choses embrouillées. *Le CH se prononce K.*

CHARIVARI, s. m. bruit confus.

CHARYBDE, s. m. gouffre qui se trouvait dans le détroit de Sicile vis-à-vis d'un écueil appelé *Scylla*. | *Tomber de Charybde en Scylla*, tomber dans un mal en voulant en éviter un autre.

CHATOYER, v. i. jeter des feux, en parlant des pierres précieuses, ou d'une étoffe changeante. *Conjugaison 1er groupe*.

CHEIK, s. m. chef de tribu arabe.

CHIROMANCIE, s. f. art divinatoire par l'étude des lignes de la main. Le *ch* se prononce *k*.

CHOIR, v. i. tomber ; usité seulement à l'infinitif *(choir)*. et au participe passé *(chu, chue)*.

CHOYER, v. t. prendre un soin particulier de. *Conjugaison 1er groupe*.

CHRONOMÈTRE, s. m. appareil à mesurer le temps. | Montre.

CHRYSALIDE, s. féminin état d'un insecte enfermé dans sa coque avant de se transformer en papillon.

CHU, E, part. passé de *choir*.

CIGUË, s. f. plante ombellifère dont une espèce est vénéneuse. | Poison qu'on en retire.

CITHARE, s. f. sorte de lyre.

CLABAUDER, v. i. aboyer à contretemps. | Tenir des propos malveillants. *Conjugaison 1er groupe*.

CLAQUEMURER, v. t. enfermer dans une prison. | **Se claquemurer, v. pr.** se tenir enfermé. *Conjugaison 1er groupe*.

CLAUDIQUER, v. i. boiter. *Conjugaison 1er groupe*.

CLEF ou **CLÉ**, **s. f.** tige métallique ouvragée pour ouvrir et fermer une serrure. | *Prendre la clef des champs.* (Errer à son gré) | Dans la musique, signe qui indique l'intonation des notes. | Instrument pour remonter un mécanisme. | *Clé de voûte*, la dernière pierre qu'on met au sommet pour en fermer le cintre. | *Clé anglaise*, pince réglable pour serrer ou desserrer des écrous.

CLIQUETER, **v. i.** faire un bruit semblable à un cliquetis. *Conjugaison 1ᵉʳ groupe.*

CLOPIN-CLOPANT, **loc. adv.** en clopinant.

CLORE, **v. t.** fermer hermétiquement. | Achever, mettre fin, déclarer terminé. | Entourer d'une clôture. *Ne s'emploie pas au passé simple. Conjugaison 3ᵉ groupe*.

CLOWN, **s. m.** personnage grotesque qui fait des tours d'adresse.

COCCYX, **s. m.** petit os à l'extrémité du sacrum.

COERCIBLE, **adj.** qu'on peut rassembler, retenir dans un certain espace.

COERCITIF, IVE, **adj.** qui a le pouvoir de contraindre.

COERCITION, **s. f.** droit, pouvoir, action de contraindre.

COLLYRE, **s. m.** remède extérieur contre les maux d'yeux.

COMMÉMORER, **v. t.** fêter. *Conjugaison 1ᵉʳ groupe*.

COMMINATOIRE, **adj.** contenant une menace.

COMPONCTION, **s. f.** douleur, regret d'avoir offensé Dieu.

CONCOMITANCE, s. f. coexistence, concours de plusieurs choses.

CONCUPISCENCE, s. f. passion déréglée pour les plaisirs des sens.

CONSONANCE, s. f. accord agréable de deux sons entendus simultanément. S'écrit avec un seul n ainsi que *résonance* et *assonance*.

CONSPUER, v. t. mépriser d'une façon marquée. *Conjugaison 1er groupe*.

CONTIGU, Ë, adj. qui touche immédiatement. | Voisin immédiat.

CONTONDANT, E, adj. qui blesse par contusion. Souvent employé dans l'expression *frapper avec un instrument contondant*.

COROLLAIRE, s. m. ce qu'on ajoute aux preuves dont on s'est servi pour démontrer une proposition. | Conséquence qu'on tire d'une proposition déjà démontrée.

CORROBORER, v. t. renforcer. *Conjugaison 1er groupe*.

CORRODER, v. t. ronger, user. *Conjugaison 1er groupe*.

CORROMPRE, v. t. vicier, gâter, décomposer. | Dépraver. Séduire. *Conjugaison 3e groupe*.

CORYZA, s. m. rhume de cerveau.

CRÛMENT, adv. sans ménagement.

CRYPTE, s. f. souterrains où les premiers chrétiens se réunissaient. | Souterrain d'église où l'on enterrait les morts. | Chapelle souterraine.

CUEILLETTE, s. f. récolte annuelle. | Temps où elle se fait. | Produit d'une quête.

CUILLER ou **CUILLÈRE, s. f.** ustensile de table pour servir, pour manger les aliments liquides.

CYNÉGÉTIQUE, adj. relatif à la chasse.

D, s. m. quatrième lettre de l'alphabet et la troisième des consonnes. | Lettre numérale, D signifie 500 en latin.

DAHLIA, s. m. plante d'ornement.

DAIM, s. m. quadrupède ruminant du genre des cerfs. *Féminin daine.* Le petit est le *faon.*

DAM terme archaïque signifiant dommage. N'est employé que dans l'expression *à son grand dam.*

DAMNER, v. t. condamner aux peines de l'enfer. *Conjugaison 1ᵉʳ groupe.*

DARTRE, s. féminin altération de la peau, qui se détache par petites écailles.

DAUPHIN, s. m. mammifère cétacé. | Fils aîné du roi de France.

DÉBÂCLE, s. f. rupture subite et écoulement des glaces d'une rivière par le dégel. | Faillite, déroute.

DÉBAUCHE, s. f. excès dans le boire et dans le manger. | Libertinage. | Usage déréglé.

DÉCÉDER, v. i. mourir de mort naturelle ; *ne se dit que des personnes. Conjugaison 1ᵉʳ groupe.*

DÉCIMER, v. t. faire périr un grand nombre de personnes. | Mettre à mort une personne sur dix lors de sacrifices antiques.

DE-CI, DE-LÀ, loc. prennent le trait d'union et la virgule.

DÉCOUDRE, v. t. défaire ce qui est cousu. |
v. i. : *en découdre*, en venir aux mains. *Con-jugaison 3ᵉ groupe*.

DÉCUPLER, v. t. rendre dix fois plus grand, plus considérable. *Conjugaison 1ᵉʳ groupe*.

DÉGINGANDÉ, E, adj. qui n'a pas une démarche, une contenance assurée, régulière.

DÉLÉTÈRE, adj. qui attaque la santé ou la vie.

DÉLICE, s. m. ce qui donne du plaisir aux sens, à l'esprit. | **S. pl.** plaisir, volupté. *Délices* au pluriel était féminin (comme *amours* et *orgues*) ; le masculin, singulier et pluriel, est désormais toléré.

DERECHEF, adv. de nouveau.

DIA, interj. terme de charretier pour faire aller les chevaux à gauche. *Tirer à hue et à dia* : tirer dans tous les sens.

DIARRHÉE, s. f. flux de ventre.

DILEMME, s. m. argument composé de deux propositions arrangées de façon que, soit que l'adversaire accorde l'une ou l'autre, la conclusion est toujours contre lui. | Choix impossible.

DISSONANCE, s. f. faux accord ; relation entre deux sons qui ne s'accordent pas ensemble. *Attention un seul n* (*avec asso-nance*), *contrairement aux composés du mot son : sonner…*

DITHYRAMBE, s. m. poème lyrique.

DITHYRAMBIQUE, adj. qui appartient au dithyrambe. | Élogieux.

DOLLAR, s. m. monnaie américaine.

DROLATIQUE, adj. plaisant, propre à faire rire. *Ne prend pas d'accent circonflexe bien que **drôle**, mot dont il est issu, en prenne un.*

DYNAMITE, s. f. puissant explosif.

DYNASTIE, s. f. suite de rois d'une même race ayant régné dans le même pays.

DYSPEPSIE, s. f. digestion laborieuse.

E, s. m. cinquième lettre de l'alphabet et seconde des voyelles. | Le *e muet* des monosyllabes (*je, me, se, te, le...*) est remplacé par une apostrophe devant une voyelle ou un *h muet*. Avec un tréma *e* ne se prononce pas dans une finale (*aiguë*).

ÉBOURIFFER, v. t. mettre les cheveux en désordre. ***Conjugaison 1er groupe***.

ECCHYMOSE, s. féminin infiltration de sang dans l'épaisseur de la peau ou dans le tissu cellulaire sous-cutané.

ECCLÉSIASTIQUE, adj. qui appartient au corps du clergé, à l'Église.

ÉCHAUFFOURÉE, s. f. rencontre imprévue, léger combat.

ÉCHOIR, v. i. advenir. | Arriver par hasard. N'est guère utilisé qu'à l'infinitif présent (*échoir*), et au participe passé (*échu*). Ne se conjugue qu'aux 3e personnes du singulier et du pluriel et aux temps composés avec l'auxiliaire *être*.

ÉCUEIL, s. m. rocher dans la mer, banc de sable qui peuvent endommager ou briser un vaisseau. | Chose dangereuse. | Difficulté, obstacle à éviter.

ECZÉMA, s. m. affection cutanée caractérisée par de petites vésicules très rapprochées.

EFFERVESCENCE, s. f. phénomène qui a lieu quand un fluide développé dans un liquide, se dégage en bouillonnant. | Ardeur, impétuosité passagère.

ÉLIXIR, s. m. liqueur spiritueuse composée de plusieurs substances dissoutes dans l'alcool.

EMBLÉE (d'), loc. adv. tout d'un coup.

EMBONPOINT, s. m. état d'une personne grasse.

EMBRYON, s. m. fœtus, jeune animal, jeune plante dont le germe commence à se développer.

ENTRACTE, s. m. intervalle entre deux actes d'une pièce de théâtre. | Intermède.

ENVI (à l'), loc. adv. avec émulation, à qui mieux mieux.

ÉPAGOMÈNE, adj. se dit de chacun des cinq jours ajoutés à l'année égyptienne de 360 jours.

ÉPIGASTRE, s. m. partie supérieure de la région abdominale.

ÉPIZOOTIE, s. f. maladie épidémique ou contagieuse qui affecte, dans un même lieu, un grand nombre d'animaux à la fois.

ÉQUARRIR, v. t. tailler à angle droit. | Abattre et dépecer une bête de somme. *Conjugaison 2ᵉ groupe*.

ESCOGRIFFE, s. m. grand homme mal fait.

ESTOC, s. m. épée longue et étroite.

ESTOMAC, s. m. viscère au-dessous du diaphragme, qui reçoit et digère les aliments.

ÉTYMOLOGIE, s. f. origine, dérivation d'un mot. | Science qui s'occupe de l'origine des mots.

EUCHARISTIE, s. f. sacrement du corps et du sang de Jésus-Christ sous les espèces du pain et du vin.

EURYTHMIE, s. f. belle proportion dans toutes les parties d'un ouvrage d'architecture.

EXACERBER, v. t. porter au paroxysme. *Conjugaison 1ᵉʳ groupe*.

EX AEQUO, loc. adv. à égalité.

EXÉCRER, v. t. détester. *Conjugaison 1ᵉʳ groupe*.

EXHIBER, v. t. représenter, montrer. *Conjugaison 1ᵉʳ groupe*.

EXHORTER, v. t. exciter, porter par ses discours au bien, à la vertu. *Conjugaison 1ᵉʳ groupe*.

EXHUMER, v. t. déterrer le corps d'un mort. | Tirer de l'oubli. *Conjugaison 1ᵉʳ groupe*.

EXIGU, Ë, adj. petit, insuffisant.

EXSANGUE, adj. qui a naturellement peu de sang ou qui en a perdu beaucoup.

EXTIRPER, v. t. déraciner. | Enlever, arracher. | Exterminer. | Détruire. | **S'extirper, v. pr.** se sortir, s'arracher. *Conjugaison 1ᵉʳ groupe*.

EXTORQUER, v. t. obtenir par force, par menace. *Conjugaison 1ᵉʳ groupe*.

EXTRA-MUROS, loc. adv. hors des murs d'une ville.

EXULTER, v. i. sauter, tressaillir de joie. *Conjugaison. 1ᵉʳ groupe.*

FAÏENCE, s. f. poterie de terre vernissée.

FAILLIR, v. i. manquer. Le verbe n'est plus utilisé qu'à l'infinitif (*faillir*), au passé simple (*je faillis*) et aux temps composés (*j'ai failli*). *Conjugaison 3ᵉ groupe.*

FAISCEAU, s m. amas de choses réunies suivant leur longueur, et liées ensemble. | Cône de rayons lumineux partant du même point.

FALLACIEUX, EUSE, adj. trompeur, frauduleux.

FALLOIR, v. impersonnel ; *ne s'emploie qu'à la 3ᵉ personne du singulier.* Être de nécessité, de devoir, d'obligation. *Conjugaison 3ᵉ groupe.*

FAON, s. m. petit d'une biche, d'un chevreuil.

FASCINER, v. t. ensorceler par une sorte de charme qui empêche de voir les choses comme elles sont. | Éblouir. *Conjugaison 1ᵉʳ groupe.*

FELDSPATH, s. m. pierre très dure, lamelleuse, composée principalement de silice et d'alumine.

FISC, s. m. le Trésor public. | Ses agents.

FLACCIDITÉ, s. f. état d'une chose qui est flasque, sans ressort.

FLAGEOLER, v. i. se dit des jambes que la faiblesse ou la fatigue rend tremblantes. *Conjugaison 1ᵉʳ groupe.*

FŒTUS, s. m. animal formé dans le ventre de la mère ou dans l'œuf.

FOISON (à), loc. adv. abondamment.

FORCLORE, v. t. ôter la faculté de produire en justice, après expiration de délai. *Ne s'emploie qu'a l'infinitif et au participe passé forclos.*

FORTIORI (à), à plus forte raison.

FOU — FOL, FOLLE, adj. Qui est tombé en démence. | Crédule, imprudent. | Déraisonnable, contraire au bon sens. | Gai, badin. | **S. m.** bouffon. | Pièce du jeu d'échecs. *On emploie fol devant un nom singulier commençant par une voyelle ou un **h** aspiré.*

FRIRE, v. t. faire cuire dans la friture. *Ne s'emploie pas au passé simple. **Conjugaison 3ᵉ groupe.***

FULMINER, v. i. s'emporter, invectiver contre quelqu'un. ***Conjugaison 1ᵉʳ groupe.***

FUSTIGER, v. t. battre à coups de fouet ou de verges. ***Conjugaison 1ᵉʳ groupe.***

GAGEURE, s. f. promesse que les personnes qui gagent se font réciproquement. | *Soutenir la gageure,* persister dans une entreprise, dans une opinion. *Se prononce gajure.*

GALIMATIAS, s. m. mélange confus de mots.

GALOP, s. m. la plus élevée et la plus rapide allure du cheval.

GANGRÈNE, s. f. diminution plus ou moins complète des phénomènes vitaux dans une partie dont la putréfaction s'empare. | Corruption.

GAZOUILLIS, s. m. petit bruit doux et agréable, en parlant des oiseaux, et, au figuré, des ruisseaux, et des enfants qui commencent à parler.

GEINDRE, v. i. gémir, se plaindre pour peu de chose. *Conjugaison 3ᵉ groupe.*

GENTILHOMME, s. m. noble. *Pluriel des gentilshommes.*

GIBBOSITÉ, s. f. saillie que fait la colonne vertébrale lorsqu'elle vient à se courber. | Bosse.

GLAÏEUL, s. m. plante à feuilles longues et étroites et à fleurs en épi. *Pluriel des glaïeuls.*

GLYCINE, s. f. plante grimpante.

GNEISS, s. m. roche primitive composée des mêmes éléments qui le granit.

GNOME, s. m. nain.

GRASSEYER, v. i. parler gras, prononcer mal. *Conjugaison 1ᵉʳ groupe.*

GREC, GRECQUE, a. et s. natif de la Grèce.

GRÉEMENT, s. m. tout ce dont un bateau a besoin en cordages, poulies, voiles, etc.

GRÉER, v. t. garnir un bâtiment de tout ce qui constitue le gréement. *Conjugaison 1ᵉʳ groupe.*

GROMMELER, v. i. gronder sourdement, murmurer. *Conjugaison 1ᵉʳ groupe.*

GRUGER, v. t. duper. *Conjugaison 1ᵉʳ groupe.*

GUILLOCHER, v. t. faire des guillochis, ornements composés de traits ondés qui s'entrelacent ou se croisent avec symétrie. *Conjugaison 1ᵉʳ groupe.*

GUINGOIS, s. m. état de ce qui n'est point droit.

GYPSE, s. m. pierre que le feu change en plâtre. | Plâtre.

HAÏR, v. t. ne pouvoir souffrir quelqu'un, lui vouloir du mal. | Avoir en horreur. *Conjugaison. 2e groupe*.

HALLALI, s. masculin sonnerie de cor indiquant lors d'une chasse à courre que la bête est aux abois.

HASE, s. f. femelle du lièvre.

HÉMORRAGIE, s. f. écoulement de sang à l'intérieur ou à l'extérieur du corps.

HEPTAGONAL, E, adj. qui a rapport à l'heptagone. | Qui a sept angles.

HERMAPHRODITE, adj. se dit des animaux et des plantes qui réunissent les deux sexes.

HEXAÈDRE, s. m. corps compris sous six faces, et particulièrement le cube.

HEXAGONAL, E, adj. qui a six angles et six côtés.

HIATUS, s. m. rencontre de deux voyelles dont l'une finit un mot, et l'autre en commence un autre, sans qu'il y ait élision. | Incohérence.

HIE, s. f. instrument pour enfoncer les pavés.

HIÉROGLYPHE, s. masculin caractère d'écriture des anciens Égyptiens. | Écriture illisible.

HOMÉOPATHIE, s. f. doctrine médicale selon laquelle on traite les maladies par des remèdes dont l'effet est de produire des symptômes semblables à ceux de la maladie.

HOMOGRAPHE, adj, se dit des mots qui ont une orthographe identique mais ont un sens différent.

HOMOLOGUER, v. t. confirmer un acte par autorité de justice. *Conjugaison 1ᵉ groupe*.

HURLUBERLU, s. m. étourdi. Ce mot n'a pas de féminin.

HYACINTHE, s. f. plante bulbeuse. | Pierre précieuse d'une couleur orangée.

HYBRIDE, adj. se dit des mots tirés de deux langues, et des animaux, des plantes qui tirent leur origine de deux espèces différentes.

HYDRE, s. f. serpent fabuleux à sept têtes. | Mal qui augmente à proportion des efforts faits pour le détruire.

HYÈNE, s. f. quadrupède carnassier charognard.

HYGIÈNE, s. f. partie de la médecine qui a pour objet la conservation de la santé.

HYPNOTISER, v. t. endormir par des passes magnétiques. | Fasciner. *Conjugaison 1ᵉʳ groupe*.

HYPOCONDRIAQUE, adj. mélancolique. Morose.

HYPOTHÉQUER, v. t. soumettre à l'hypothèque (droit acquis par un créancier sur des immeubles que le débiteur lui a affecté pour la sûreté de sa dette), donner pour hypothèque. *Conjugaison 1ᵉʳ groupe*.

IDOLÂTRER, v. t. aimer avec passion. *Conjugaison 1ᵉʳ groupe*.

IDYLLE, s. f. amourette.

IMMÉRITÉ, E, adj. que l'on n'a pas mérité.

IMMISCER (s'), **v. pr.** s'entremettre, s'ingérer mal à propos. *Conjugaison 1er groupe*.

IMMUNISER, **v. t.** rendre résistant à la maladie. *Conjugaison 1er groupe*.

IMPÉRITIE, **s. f.** défaut d'habileté dans une profession.

INDEMNITÉ, **s. f.** dédommagement financier.

INDEXER, **v. t.** prévoir la variation d'une somme à partir d'un indice de référence. *Conjugaison 1er groupe*.

INDÛMENT, **adv.** à tort.

INEXTINGUIBLE, **adj.** qu'on ne peut éteindre. | Qu'on ne peut apaiser. *S'emploie surtout dans l'expression un rire inextinguible*.

INFAILLIBILITÉ, **s. f.** certitude entière. | Impossibilité de se tromper.

INFÂME, **adj.** indigne, honteux, déshonorant. | Sale, malséant. *Les autres dérivés, infamie, infamant… ne prennent pas d'accent circonflexe sur le* **a**.

INFARCTUS, **s. m.** hémorragie cardiaque.

INGAMBE, **adj.** dispos, alerte.

INGÉNUITÉ, **s. f.** naïveté, franchise. Candeur ; sincérité.

INHALER, **v. t.** absorber en respirant. *Conjugaison 1er groupe*.

INHUMER, **v. t.** donner la sépulture à un mort. *Conjugaison 1er groupe*.

ISTHME, **s. m.** langue de terre qui joint la presqu'île au continent.

JACINTHE, **s. f.** plante de la famille des lis dont les fleurs ont une odeur suave.

JAIS s. m. bitume fossile d'un noir luisant.

JARS, s. m. mâle de l'oie.

JEÛNER, v. i. ne point prendre de nourriture ; observer les jeûnes ordonnés par l'Église. *Conjugaison 1ᵉʳ groupe*.

KIDNAPPER, v. t. enlever une personne afin d'en obtenir une rançon. *Conjugaison 1ᵉʳ groupe*.

KIRSCH, s. m. eau-de-vie extraite de cerises.

KLAXONNER, v. t. utiliser un avertisseur sonore. *Conjugaison 1ᵉʳ groupe*.

KYRIELLE, s. f. longue suite de choses ennuyeuses ou fâcheuses.

KYSTE, s. m. poche membraneuse qui se développe accidentellement dans une des cavités naturelles ou dans l'épaisseur des tissus organiques.

L, s. neuvième consonne, et la douzième lettre de l'alphabet. | Lettre numérale qui signifie 50 en latin, et avec un trait horizontal au-dessus 50 000.

LABYRINTHE, s. m. édifice dont il est difficile de trouver l'issue. | Massif formé d'allées qui s'entrecoupent.| Affaires embrouillées.

LACRYMAL, E, adj. qui a rapport aux larmes.

LAÏC, LAÏQUE, adj. qui n'appartient pas au clergé.

LARYNX, s. m. appareil producteur de la voix, situé à la partie supérieure de la trachée-artère.

LASCIF, IVE, adj. enclin à la luxure.

LÉ, s. m. largeur d'une toile, d'une étoffe entre ses deux lisières.

LEGS, s. m. don laissé par testament.

LEURRE, s. m. piège.

LEVRETTE, s. f. femelle du lévrier.

LUIRE, v. i. répandre de la lumière. | Réfléchir la lumière, en parlant des corps polis. | Paraître, briller. *Ne s'emploie pas au passé simple.* ***Conjugaison 3ᵉ groupe.***

LYCANTHROPIE, s. f. folie dans laquelle le malade se croit métamorphosé en loup.

LYNCHER, v. t. exécuter sans jugement et de façon collective. ***Conjugaison 1ᵉʳ groupe.***

LYNX, s. m. chat sauvage qui a la vue perçante.

M, s. f. dixième consonne et treizième lettre de l'alphabet. | Lettre numérale qui représente 1 000 en latin. | On met un **m.** à la place du **n** devant les lettres *m*, *b*, *p* (*empêcher*, *emmêler*, *embobiner*) sauf dans BONBON, BONBONNIÈRE, EMBONPOINT, NÉANMOINS.

MADAME, s. f. nom sous lequel on désigne les femmes mariées. | Titre qu'on donne en France à la fille aînée du roi. *Au pluriel mesdames*.

MADEMOISELLE, s. f. titre qui se donne aux femmes non mariées. *Au pluriel mesdemoiselles*.

MAGNIFICENCE, s. f. qualité de celui qui est magnifique. | Somptuosité. | Pompe, grandeur. | *Au pluriel* choses magnifiques ; dépenses éclatantes.

MAINT, E, adj. plusieurs.

MAL À PROPOS, loc. adv. à contretemps, lorsqu'il ne convient pas.

MALAXER, v. t. amollir une substance en la pétrissant. *Conjugaison 1er groupe*.

MARQUETERIE, s. f. ouvrage de bois de diverses couleurs et plaqués, formant des compartiments.

MENTHE, s. f. plante odorante.

MÉTEMPSYCOSE, s. f. passage de l'âme d'un corps dans un autre.

MEZZANINE, s. f. petit étage pratiqué entre deux grands. | Fenêtre qui a plus de largeur que de hauteur.

MIJOTER, v. t. faire cuire doucement et lentement. *Conjugaison 1er groupe*.

MISANTHROPE, s. m. celui qui hait l'espèce humaine, la société. | Homme bourru, chagrin. *Il est impossible qu'un philosophe, qu'un poète ne soient pas misanthropes*. (Chamfort.)

MNÉMOTECHNIQUE, adj. qui aide la mémoire au moyen de certains signes ou de certaines images faciles à retenir.

MOLLAH, s. m. dignitaire musulman.

MONSEIGNEUR, s. m. titre d'honneur qu'on donne aux évêques et aux princes. *Pluriel messeigneurs* lorsqu'on s'adressent à eux, *nosseigneurs* lorsqu'on parle des évêques. | Pince dont se servent les voleurs.

MONSIEUR, s. m. titre de civilité qu'on donne à un homme. *Pluriel messieurs*.

MORIGÉNER, v. t. corriger, faire rentrer dans le devoir. *Conjugaison 1er groupe*.

MOYEN ÂGE, s. m. temps depuis l'empereur Constantin jusqu'aux guerres d'Italie et à la Renaissance (476-1453). *S'écrire sans* *trait d'union et, avec majuscules aux deux mots.*

MUSC, **s. m.** substance odorante.

MYRIADE, **s. f.** nombre de dix mille. | Grand nombre indéterminé.

MYRRHE, **s. f.** gomme odorante, médicinale.

MYRTE, **s. masculin** arbrisseau toujours vert.

MYSTIFIER, **v. t.** rendre quelqu'un ridicule en abusant de sa crédulité. | S'amuser aux dépens de quelqu'un. *Conjugaison 1ᵉʳ groupe*.

MYTHOLOGIE, **s. f.** science de l'histoire fabuleuse des dieux, demi-dieux et héros de l'Antiquité.

MYTHOMANE, **s.** celui, celle qui invente des fables, qui affabule.

NADIR, **s. m.** en astronomie, le point du ciel opposé au zénith.

NÉNUPHAR, **s. m.** plante aquatique.

NETTOIEMENT, **s. m.** action de nettoyer.

NONOBSTANT, **prép.** malgré, sans avoir égard à…

NOTRE-DAME, **s. f.** la Sainte Vierge. | Sa fête. | Son image. | Église qui lui est consacrée. | Cathédrale de Paris. *Dans tous les cas, les deux mots prennent une majuscule et son reliés par un trait d'union.*

NYCTALOPE, **s.** qui voit la nuit.

NYMPHE, **s. f.** divinité fabuleuse des fleuves, des bois, des montagnes. | Jeune fille ou femme belle et bien faite. | Premier degré de la métamorphose des insectes.

OBLONG, OBLONGUE, adj. plus long que large.

OBSCÈNE, adj. qui blesse la pudeur.

OBSÉQUIEUX, EUSE, adj. qui porte à l'excès les égards.

OBSTRUCTION, s. f. engorgement, embarras.

OCCURRENCE, s. f. rencontre, occasion, événement fortuit. *En l'occurrence*, en la circonstance.

ODYSSÉE, s. f. poème d'Homère, dont Ulysse est le héros. | Voyage semé d'aventures variées et singulières.

ŒCUMÉNIQUE, adj. Universel en matière de religion.

ŒDÈME, s. m. tumeur molle sans douleur.

ŒIL, s. m. au pluriel YEUX ; organe de la vue. | Regard. | Centre de la volute d'une coquille. | Rond de graisse sur le bouillon. | Bourgeon.

ŒILLADE, s. f. coup d'œil furtif.

ŒILLET, s. m. plante à fleur odoriférante ; sa fleur. | Petit trou pour passer un lacet.

ŒSOPHAGE, s. m. canal musculo-membraneux qui porte les aliments du gosier à l'estomac.

ŒSTRE, s. m. grosse mouche velue.

ŒUF, s. m. corps qui se forme dans les femelles de certains animaux, et qui renferme le germe de leur petit.

ŒUVRE, s. f. toute opération, toute entreprise importante. | Ouvrage. | Production d'esprit.

OINDRE, v. t. enduire d'une substance grasse. *Conjugaison 3ᶜ groupe*.

ONYX, s. m. espèce d'agate qui présente des couches parallèles de différentes couleurs.

OPPRIMER, v. t. accabler par violence, par abus d'autorité. *Conjugaison 1ᵉʳ groupe*.

OPTER, v. i. choisir entre deux ou plusieurs choses qu'on ne peut avoir ensemble. *Conjugaison 1ᵉʳ groupe*.

ORGUEIL, s. m. opinion trop avantageuse de soi-même. *Le comble de l'orgueil, c'est de se mépriser soi-même.* (Flaubert.) | Sentiment élevé qui porte à faire de grandes choses. | Pompe, faste.

ORNITHOLOGIE, s. f. histoire naturelle des oiseaux.

ORTHOGRAPHIER, v. t. écrire correctement les mots, conformément à leur orthographe. *Conjugaison 1ᵉʳ groupe*.

OS, s. m. partie de l'animal, solide, dure, insensible, qui sert à attacher et à soutenir les autres parties du corps. | Restes mortels. *Le s ne se prononce pas au pluriel.*

OSCILLER, v. i. se mouvoir alternativement en deux sens contraires. *Conjugaison 1ᵉʳ groupe*.

OUATER, v. t. garnir d'ouate. *Conjugaison 1ᵉʳ groupe*.

OUÏR, v. t. entendre, recevoir les sons par l'oreille. | Donner audience. | Écouter favorablement, exaucer. *Conjugaison 3ᶜ groupe*.

PACHYDERME, s. m. mammifère dont la peau est épaisse, et dont les pieds ont plus de deux doigts enveloppés dans des sabots cornés.

PAGAYER, **v. i.** ramer avec des pagaies dans un canoë. *Conjugaison 1er groupe*.

PAIE/PAYE, **s. f.** solde des gens de guerre. | Action de payer. Salaire.

PAIEMENT/PAYEMENT, **s. m.** action de payer. | Ce qu'on donne pour acquitter une dette. | Terme auquel on doit payer.

PAÏEN, NE, adj. idolâtre. | Qui a pour objet le culte des faux dieux. | Celui, celle qui est idolâtre.

PAÎTRE, **v. t.** se dit des animaux qui broutent l'herbe. | Faire paître, mener paître. | **v. i.** brouter. | Envoyer paître, en parlant des personnes, renvoyer avec mépris. *Ne s'emploie pas au passé simple. Conjugaison 3e groupe*.

PALIMPSESTE, **s. m.** chez les Anciens, tablette où l'on pouvait effacer ce qui avait été écrit, pour y substituer une écriture nouvelle. | Parchemin sur lequel quelque chose était écrit et que l'on fait gratter pour y écrire de nouveau.

PALINDROME, **s. m.** vers qui se trouve toujours le même, qu'on le lise à droite ou à gauche. *1991 : date palindrome*.

PALINODIE, **s. f.** rétractation.

PAMPHLET, **s. m.** brochure critique ou diffamatoire.

PAMPHLÉTAIRE, **s. m.** auteur de pamphlets.

PAMPRE, **s. m.** branche de vigne avec ses feuilles.

PANACÉE, **s. féminin** remède universel.

PANÉGYRIQUE, s. m. discours à la louange de quelqu'un.

PAON, s. m. oiseau d'un beau plumage, dont la queue s'ouvre en roue, et qui a un cri aigre.

PAPYRUS, s. m. arbrisseau d'Égypte dont l'écorce intérieure servait de papier. | Papier fait avec cette écorce. | Manuscrit sur papyrus.

PARALLÉLÉPIPÈDE, s. m. solide terminé par six parallélogrammes, dont les côtés opposés sont parallèles.

PARALYSIE, s. f. diminution ou abolition de la contractilité musculaire d'une partie du corps et dont la sensibilité peut être en même temps diminuée ou anéantie.

PARAPHER, v. t. mettre son paraphe au bas d'un écrit. Signer. *Conjugaison 1ᵉʳ groupe*.

PARLEMENT, s. m. en France, Assemblée nationale (Chambre des députés et Sénat) ; *dans ce cas, il prend une majuscule.* | Autrefois assemblée des grands du royaume. | Cour de justice.

PAROXYSME, s. m. accès, redoublement d'une maladie.

PARPAING, s. m. pierre qui tient toute l'épaisseur d'un mur. | Pierre placée sous un pan de bois pour l'isoler du sol et de l'humidité.

PARTANCE (en), loc. adv. sur le point de partir.

PATÈRE, s. féminin portemanteau. | Coupe antique.

PEDIGREE, s. m. généalogie d'animal.

PÉNULTIÈME, adj. avant-dernier. *Antépénultième* : avant-avant-dernier.

PÉRISTYLE, s. m. suite de colonnes formant galerie à l'intérieur d'un bâtiment, autour d'une cour. | Rang de colonnes isolées qui ornent la façade d'un monument.

PERQUISITIONNER, v. i. rechercher de façon approfondie (*terme judiciaire*). *Conjugaison 1ᵉʳ groupe*.

PERS, SE, adj. de couleur entre le vert et le bleu.

PERSÉVÉRER, v. i. persister, demeurer ferme et constant dans un sentiment, une résolution. *Conjugaison 1ᵉʳ groupe*.

PERSPICACITÉ, s. f. pénétration d'esprit.

PESTILENTIEL, LE, adj. infecté de peste ; propre à répandre la contagion.

PHARYNX, s. m. gosier, partie supérieure de l'œsophage.

PHILANTHROPIE, s. f. amour de l'humanité.

PHILHARMONIQUE, adj. qui aime l'harmonie ; ne se dit qu'en parlant de sociétés musicales et d'orchestres.

PHOSPHORESCENCE, s. f. propriété qu'ont certains corps de devenir lumineux dans l'obscurité, sans chaleur, ni combustion sensible. | Lumière qui en provient.

PHRÉNOLOGIE, s. f. étude du caractère de l'homme fondée sur l'observation des protubérances du crâne.

PIQÛRE, s. f. morsure de serpents ou d'insectes. | Trous que font les insectes sur les fruits, le bois. | Rang de points arrière faits symétriquement sur une étoffe.

PLAIDOYER, s. m. discours à l'audience pour défendre une cause.

PLAIN-PIED (de) loc. au même niveau.

PLÉBÉIEN, NE, adj. qui n'appartient pas à la noblesse.

PLÉTHORE, s. f. surabondance.

PLEXUS, s. m. entrelacement de vaisseaux sanguins ou de filets nerveux.

POLLEN, s. m. poussière fécondante qui se développe dans la partie des fleurs appelée anthère.

POLYANDRIE, s. f. état d'une femme qui a plusieurs maris. | Ordre de plantes qui ont plus de vingt étamines insérées sous un pistil simple ou multiple.

POLYÈDRE, s. m. solide terminé par des plans ou des faces planes.

POLYGAME, s. homme marié à plusieurs femmes, femme mariée à plusieurs hommes en même temps. | Se dit des plantes qui portent sur le même pied des fleurs hermaphrodites et des fleurs les unes mâles, les autres femelles.

POLYGLOTTE, s. m. homme qui sait plusieurs langues.

POLYGONE, s. m. figure plane terminée de tous côtés par des lignes droites. | Immense butte de terre destinée aux exercices d'artillerie.

POLYPE, s. m. excroissance muqueuse qui se forme dans les narines, l'utérus et autres cavités.

POLYTHÉISME, s. m. religion qui admet la pluralité des dieux.

PORPHYRE, s. m. pierre mélangée, très dure, d'un rouge pourpré et tacheté de blanc.

POSTHUME, adj. né après la mort du père. *Ouvrage posthume*, publié après la mort de l'auteur.

PRÉÉMINENCE, s. f. prérogative en ce qui regarde la dignité et le rang.

PRÉROGATIVE, s. f. avantages, honneur attaché à certaines dignités. | Avantage dont certains êtres jouissent exclusivement.

PRESBYTE, adj. qui ne voit que de loin, parce que le cristallin de l'œil est aplati.

PRESBYTÈRE, s. m. maison du curé.

PRESTIDIGITATION, s. f. art du prestidigitateur.

PRÉTEXTE, s. m. cause apparente dont on se sert pour cacher le vrai motif d'une action.

PRIMESAUTIER, ÈRE, adj. qui se détermine, qui agit du premier mouvement, sans réflexion.

PRODIGALITÉ, s. f. caractère du prodigue. | Profusion.

PROHIBITIF, IVE, adj. qui défend.

PROLIXE, adj. diffus, trop long.

PROPHYLAXIE, s. f. partie de la médecine qui a pour objet de prévenir les maladies.

PROSAÏQUE, adj. qui manque de poésie, de variété. | Froid, positif.

PROSÉLYTE, s. m. nouveau converti à une religion, à une secte quelconque. | Partisan qu'on gagne à une opinion.

PRURIT, s. m. démangeaison vive.

PSALMODIE, s. f. manière monotone de chanter, de lire, de réciter.

PSEUDONYME, s. m. nom supposé. | Faux nom.

PSYCHÉ, s. f. grande glace mobile sur deux pivots dans un châssis posé sur des roulettes.

PUITS, s. m. trou profond creusé de main d'homme pour avoir de l'eau. | Ouverture par laquelle on descend dans une mine, dans une carrière.

PULLULER, v. i. multiplier en abondance et en peu de temps ; se dit des insectes et des plantes. | Se répandre avec rapidité. *Conjugaison 1ᵉʳ groupe*.

PUSILLANIMITÉ, s. f. faiblesse d'esprit, timidité excessive, manque de cœur.

PYLORE, s. m. orifice inférieur de l'estomac, par où les aliments passent dans les intestins.

PYRRHONISME, s. m. habitude ou affectation de douter de tout.

PYTHIE, s. f. prêtresse-oracle d'Apollon, à Delphes. | Devineresse.

QUARTZ, s. m. pierre très dure dont la base est la silice.

QUELQU'UN, E, pron. indéf. un entre plusieurs. | *Au pluriel* **QUELQUES UNS, ES** plusieurs personnes, plusieurs choses désignées vaguement.

QUIDAM, s. m. personne dont on ignore ou dont on ne veut pas exprimer le nom. *Au pluriel* **QUIDAMS**

QUINCONCE, s. m. disposition de plants d'arbres en échiquier. | Lieu ainsi planté.

QUINTESSENCE, s. f. ce qu'il y a d'essentiel, de principal dans une chose. | Ce qu'il y a de meilleur dans quoi que ce soit. | Tout le profit qu'on peut tirer d'une chose. | Médicament résultant de la distillation de l'alcool sur une ou plusieurs substances.

RAGAILLARDIR, v. t. redonner de la gaieté, remettre en bonne humeur ; ranimer, remettre en vigueur. *Conjugaison 2ᵉ groupe*.

RAJAH, s. m. prince indien.

RAMADAN, s. m. jeûne des musulmans.

RASSÉRÉNER, v. t. rendre serein. *Conjugaison 1ᵉʳ groupe*.

REBOURS (à), loc. adv. à contresens, à contre-pied.

REBROUSSE-POIL (à), loc. adv. à contresens.

RÉCÉPISSÉ, s. m. écrit par lequel on reconnaît avoir reçu des papiers, des pièces. | Reçu.

RÉDHIBITOIRE, adj. défectueux, qui peut faire casser une vente. | Qui constitue un empêchement absolu.

RÉITÉRER, v. t. faire de nouveau ce qu'on a déjà fait. | Répéter. *Conjugaison 1ᵉʳ groupe*.

REÎTRE, s. m. soldat mercenaire.

RELAPS, E, adj. qui est retombé dans l'hérésie ; | dans un vice.

REMÉMORER, v. t. faire ressouvenir. | **Se remémorer, v. pr.** se rappeler. *Conjugaison 1ᵉʳ groupe*.

RÉMINISCENCE, s. f. renouvellement d'une idée presque effacée. | Pensée d'autrui qu'on emploie comme étant de soi, dans le domaine artistique.

REMORDS, s. m. reproche secret de la conscience. | Vif repentir. Regret.

RÉMUNÉRER, v. t. récompenser. | Rétribuer. *Conjugaison 1er groupe*.

RÉPRIMANDE, s. f. blâme, reproche fait avec autorité.

RÉQUISITION, s. f. demande, par autorité publique, d'une mise à la disposition de l'État.

RESSASSER, v. t. examiner minutieusement pour voir s'il n'y a rien à redire. | Rabâcher. *Conjugaison 1er groupe*.

RESSERRER, v. t. serrer davantage ce qui s'est lâché. | Rétrécir. | Abréger. *Conjugaison 1er groupe*.

RESSUSCITER, v. t. ramener de la mort à la vie. | Guérir. | Renouveler, faire revivre. *Conjugaison 1er groupe*.

RÉSURRECTION, s. f. retour de la mort à la vie. | Guérison inopinée. | Tableau représentant la Résurrection du Christ.

RHÉTORIQUE, s. f. art de bien dire. | Affectation d'éloquence.

RHINOCÉROS, s. m. grand mammifère pachyderme qui a une corne sur le nez.

RHUBARBE, s. f. plante qui est après cuisson comestible.

RHUM, s. m. eau-de-vie de canne à sucre.

RHUMATISME, s. m. douleur inflammatoire des muscles et des articulations.

RHUME, s. m. irritation de la membrane muqueuse du poumon qui excite la toux. *Rhume de cerveau*, irritation de la membrane muqueuse qui tapisse le nez.

ROCOCO, s. m. ornements du XVIIIe siècle surchargés de motifs. | Désuet, alambiqué.

RYTHME, s. m. cadence.

RYTHMIQUE, adj. qui appartient au rythme.

SAPHIR, s. m. pierre précieuse bleue et transparente.

SCHÉMA, s. m. dessin sommaire.

SCHISME, s. m. division qui déchire une Église ou une religion. Sécession. | Division d'opinions, de partis.

SCHISTE, s. m. pierres qui se séparent en lames très minces.

SCIATIQUE, adj. qui a rapport à la hanche. | **S. f.** inflammation de nerf sciatique.

SCIEMMENT, adv. en connaissance de cause.

SCISSION, s. f. division, séparation dans une assemblée politique. | Fâcherie entre plusieurs personnes.

SCULPTER, v. t. donner avec un ciseau, une forme au marbre, à la pierre. *Conjugaison 1er groupe*.

SIBYLLIN, INE, adj. énigmatique.

SILHOUETTE, s. f. profil. | Ombre projetée par un corps.

SIPHON, s. m. tuyau recourbé propre à faire passer un liquide d'un vase dans un autre.

SOLILOQUE, s. m. discours d'un individu qui s'entretient avec lui-même.

SOLSTICE, s. m. temps où le soleil est à son plus grand éloignement de l'équateur ; où la durée du jour est à son maximum (*solstice d'été*), et à son minimum (*solstice d'hiver*).

SOUDOYER, v. t. payer des gens de guerre. | S'assurer le secours de quelqu'un à prix d'argent. *Conjugaison 1er groupe.*

SOUHAIT, s. m. désir, vœu.

SOÛLER,   v. t.   enivrer.   *Conjugaison 1er groupe*.

SPATH, s. m. substance pierreuse à structure lamelleuse.

SPÉCIMEN, s. m. échantillon, modèle.

SPERMATOZOÏDE, s. m. cellule reproductrice mâle.

SPHINX, s. m. monstre fabuleux, lion ailé à figure de femme.

SPLEEN, s. m. mélancolie.

STÉTHOSCOPE, s. m. instrument acoustique qu'on applique sur la poitrine pour ausculter un malade.

STIPENDIER, v. t. corrompre pour de l'argent. *Conjugaison 1er groupe*.

STOCK, s. m. marchandises en magasin.

STOÏCISME, s. m. austérité, fermeté.

STRASS, s. m. composition qui imite le diamant.

STRATAGÈME, s. m. ruse de guerre. | Ruse, subtilité, tour d'adresse.

SUBJUGUER, v. t. courber sous le joug. | Soumettre par la force des armes. | Prendre de l'ascendant sur. *Conjugaison 1er groupe*.

SUBREPTICE, adj. furtif.

SUBROGER, v. t. substituer, mettre une personne en la place d'une autre. *Conjugaison 1ᵉʳ groupe.*

SUCCINCT, E, adj. court, bref.

SUCCION, s. f. action de sucer.

SURSEOIR, v. t. suspendre, remettre, différer, en parlant des affaires, des procédures. *Conjugaison 3ᵉ groupe.*

SUSCEPTIBILITÉ, s. f. disposition à se choquer trop aisément.

SUSPECT, E, adj. qui est soupçonné.

SYCOMORE, s. m. espèce d'érable.

SYLLOGISME, s. m. argument qui contient trois propositions, la majeure, la mineure, et la conséquence.

SYNCHRONISME, s. m. rapport de deux événements qui arrivent dans le même temps.

SYNCOPE, s. f. défaillance, pâmoison. | Prolongement sur le temps fort d'un son commencé sur le temps faible (musique).

SYNCRÉTISME, s. m. rapprochement, conciliation d'opinions.

SYNODE, s. m. assemblée d'évêques. | Assemblée des ministres protestants.

TAFFETAS, s. m. étoffe de soie.

TAIE, s. f. tache blanche formée sur la cornée. | Sac de tissu qui sert d'enveloppe à un oreiller.

TAIRE, v. t. garder le secret sur une chose. | **V. i.** garder le silence ; *il n'est usité qu'avec* faire. | Ne point faire de bruit. *Conjugaison 3ᵉ groupe.*

TAPINOIS (en), loc. adv. en cachette, sournoisement.

TARABUSTER, v. t. fatiguer, brusquer, traiter rudement. *Conjugaison 1er groupe*.

TÂTONS (à), loc. adv. en tâtonnant, dans l'obscurité.

TAUTOLOGIE, s. f. répétition inutile d'une même idée en termes différents.

TÉRÉBENTHINE, s. f. résine qui découle du térébinthe et de plusieurs autres arbres.

TERGIVERSER, v. i. chercher des détours, biaiser. *Conjugaison 1er groupe*.

THAUMATURGE, s. m. faiseur de miracles.

THÉIÈRE, s. f. vase pour faire infuser le thé.

THÉSAURISER, v. i. amasser des trésors. *Conjugaison 1er groupe*.

THURIFÉRAIRE, s. m. clerc qui porte l'encensoir, l'encens. | Flatteur.

THUYA, s. m. arbre vert de la famille des conifères.

THYM, s. m. plante odoriférante utilisée pour parfumer les sauces.

TOAST, s. m. proposition de boire à la santé de quelqu'un, à l'accomplissement d'un vœu, au souvenir d'un événement. | Tranche de pain de mie grillée.

TORTICOLIS, s. m. douleur qui empêche de tourner le cou.

TRANSIR, v. t. engourdir de froid. | Saisir de peur. | **V. i.** être saisi de froid, de peur. *Ne s'emploie plus qu'aux temps composés (un* *amoureux transi) et, plus rarement, au présent de l'indicatif. Conjugaison 2ᵉ groupe*.

TROGLODYTE, s. m. qui vit dans des cavernes.

TROPHÉE, s. m. dépouilles de l'ennemi vaincu. | Monument d'une victoire. | Victoire.

TUE-TÊTE (à), loc. adv. à toute force, en parlant d'un homme qui crie.

TYMPAN, s. m. partie intérieure de l'oreille. | Partie décorée au-dessus des portails d'églises romanes.

TYPHON, s. m. vent furieux en tourbillon.

TYRAN, s. m. prince injuste et cruel. | Quiconque abuse de son autorité, en société, dans sa famille.

VACCIN, s. m. produit inoculé pour augmenter la résistance de l'organisme à une maladie.

VACUITÉ, s. f. état d'une chose vide.

VALÉTUDINAIRE, adj. habituellement malade.

VARECH, s. m. algue.

VATICINER, v. i. prédire de façon confuse. | Délirer. *Conjugaison 1ᵉʳ groupe*.

VICE VERSA (et), loc. adv. réciproquement.

VILIPENDER, v. t. traiter de vil, mépriser. *Conjugaison 1ᵉʳ groupe*.

VROMBIR, v. t. bourdonner. *Conjugaison 2ᵉ groupe*.

WAGON, s. m. voiture de transport employée sur les chemins de fer.

WHISKY s. m. eau-de-vie écossaise tirée de l'orge.

WHIST, s. m. jeu de cartes.

XÉNOPHOBE, adj. et s. qui déteste les étrangers.

XYLOPHAGE, s. m. insecte qui ronge le bois.

XYLOPHONE, s. m. instrument de musique à percussion.

Y, s. m. 6e voyelle, et 24e lettre de l'alphabet, équivaut à un ou à deux *i*. Il s'emploie pour un *i* au commencement et à la fin des mots, et dans le corps des mots après une consonne. Il s'emploie pour deux *i* dans le corps du mot, quand il est précédé d'une voyelle. | **Pronom pers. de la 3e pers.** signifie à *cela*, à *lui*, à *elle*. | **Adv.** en cet endroit-là.

YACHT, s. m. bâtiment à voiles et à rames.

YATAGAN, s. m. poignard turc dont la lame est courbe.

YOLE, s. f. petit canot léger.

ZÉNITH, s. m. point du ciel élevé verticalement à chaque point du globe terrestre ; *opposé : nadir.* | Sommet.

ZÉPHYR, s. m. vent doux, agréable.

ZIGZAG, s. m. suite de lignes disposées en Z, et formant entre elles des angles aigus.

ZINC, s. m. métal solide d'un blanc bleuâtre, ductile et très malléable.

ZODIAQUE, s. m. espace du ciel dans lequel se meuvent les planètes. | Assemblage des douze constellations du zodiaque. | Représentation du zodiaque.

MOTS POUVANT PRÊTER À CONFUSION ET HOMONYMES

ABJURER, v. t. renoncer à sa religion. | Abandonner. *Ne pas confondre avec* **ADJURER, v. t.** (*peu usité*) commander au nom de Dieu de faire ou dire quelque chose. *Conjugaison 1er groupe.*

ACCIDENT, s. m. ce qui arrive par hasard, en bien ou en mal. | Événement. |*À ne pas confondre avec* **INCIDENT, s. m.** : *le premier arrive par hasard, le second, moins fort, survient de façon secondaire au cours d'un fait principal.*

ACQUIS, s. m. savoir, expérience. *Ne pas confondre avec* **ACQUIT, s. m.** quittance, décharge.

AGONISER, v. i. être à l'agonie, être mourant. *Conjugaison 1er groupe. Ne pas confondre avec* **AGONIR, v. t.** accabler, insulter : *agonir d'injures. Conjugaison 2e groupe.*

AIDE, s. masculin et féminin, celui, celle qui assiste un autre, le seconde. *Homonyme :* **AIDE, s. féminin**, secours, assistance donnée ou reçue.

AIGLE, s. grand oiseau de proie (mâle et femelle). | **S. masculin** homme d'un génie supérieur. | Pupitre d'église. *Homonyme :* **AIGLE, s. féminin** étendard présentant l'image d'un aigle.

ALLOCATION, s. f. action d'allouer une somme. | Subvention. *À ne pas confondre avec* **ALLOCUTION, s. f.** discours bref.

AMANDE, s. f. fruit de l'amandier. |
Semence des fruits à noyau. *À ne pas confon-dre avec* **AMENDE, s. f.** peine financière
imposée par la justice.

ANCRE, s. féminin instrument de fer à dou-ble crochet, pour fixer les bateaux. | Ce qui
attache, consolide, maintient. *Homonyme :*
ENCRE, s. f. liquide qui sert pour écrire,
imprimer.

ANONYME, adj. sans nom d'auteur. *À ne
pas confondre avec* **APOCRYPHE, adj.** dont
l'authenticité n'est pas établie.

APPAS, s. féminin pluriel charmes, attraits
féminins. *De plus en plus confondus avec*
APPÂT, s. m. amorce mise dans un piège,
après un hameçon. | Leurre. | Tout ce qui
attire.

ARBORER, v. t. planter droit comme un
arbre. Dresser. | Se déclarer ouvertement
pour un parti. *Ne pas confondre avec*
ABHORRER, v. t. avoir en horreur. ***Conju-gaison 1ᵉʳ groupe.***

AUNE, s. féminin ancienne mesure de
longueur. | Longueur d'étoffe, de ruban.
Homonyme : **AUNE, s. masculin** arbre à
bois tendre qui se plaît dans les lieux humi-des.

AUSPICES, s. masculin pluriel présage,
divination. *Homonyme :* **HOSPICE, s. mas-culin** autrefois petite maison religieuse où
l'on recevait les moines en voyage. | Éta-blissement où l'on reçoit des indigents.

AUTEUR, s. m. première cause d'une
chose. | Inventeur. | Homme ou femme qui

a écrit un ouvrage. *Ce mot n'a pas de fémi-nin. Ne pas confondre avec* **HAUTEUR, s. f.** élévation d'une chose placée au-dessus de la terre, ou par rapport à un point zéro. | Colline, éminence. | Grandeur, élévation. | Qualité de ce qui est difficile, ardu. | Arrogance, orgueil.

AVÈNEMENT, s. m. arrivée, venue, prend un accent grave. *Ne pas confondre avec* **ÉVÉNEMENT, s. m.** tout ce qui arrive, prend deux accents aigus.

BACCARA, s. m. jeu de cartes. À ne pas confondre avec le cristal de **BACCARAT** (en Lorraine).

BÂILLER, v. i. ouvrir involontairement la bouche par lassitude, par ennui ou par envie de dormir. | S'entrouvrir, être mal joint. *Homonyme :* **BAILLER, v. i.** donner (*Bailler* est rarement utilisé). ***Conjugaison 1ᵉʳ groupe.***

BALADE, s. f. promenade. *À ne pas confondre avec* **BALLADE, s. f.** chanson ou poème médiéval composé de couplets faits sur les mêmes rimes, et qui finissent tous par le même vers.

BALLONNEMENT, s. m. gonflement du ventre provenant de gaz accumulés dans les intestins. *Ne pas confondre, car autrefois le sens était identique, avec* **BALLOTTAGE, s. m.** action de ballotter dans une élection, quand aucun des candidats n'a obtenu la majorité.

BAN, s. m. proclamation solennelle. | Dans le gouvernement féodal, on appelait *ban*, *arrière-ban*, la convocation publique de vassaux pour la guerre (le *ban* se rapportait aux fiefs, et l'*arrière-ban*, aux arrière-fiefs). | Batterie de tambour avant une annonce. | Bannissement. *Homonyme :* **BANC**, **s. m.** siège étroit et long où plusieurs personnes peuvent s'asseoir. On peut être à la fois mis *au ban de la société* et *au banc des accusés*. Le *c* final ne se prononce pas.

BARDE, **s. masculin** poète celte ou gaulois. *Homonyme :* **BARDE**, **s. féminin** ancienne armure qui couvrait le poitrail et les flancs des chevaux. | Tranche de lard mince.

BÉATIFIER, **v. t.** mettre au nombre des bienheureux, en parlant du pape. *Ne pas confondre avec* **BÊTIFIER**, **v. t.** abrutir. | **V. i.** faire le nigaud. *Conjugaison 1er groupe*.

BEAU, **adj.** séduisant. *Ne pas confondre avec* **BOT**, **adj.** raccourci ; ne s'emploie qu'avec *pied* : *pied bot. Au pluriel des pieds bots*.

BONASSE, **adj.** simple, un peu sot. À ne pas confondre avec **BONACE**, **s. f.** calme plat en mer.

BOTTELER, **v. t.** mettre en bottes du foin, de la paille. *Ne pas confondre avec* **BOTTER**, **v. t.** donner un coup de pied. | Mettre des bottes. *Conjugaison 1er groupe*.

BOUCHER, **v. t.** obstruer une ouverture. *Conjugaison 1er groupe*. *Homonyme :* **BOUCHER**, **s. m.** celui qui tue les bestiaux et en vend la chair en détail. | Homme cruel et sanguinaire.

BROCARD, s. m. raillerie. *Homonyme :* **BROCART, s. m.** étoffe tissée de soie, d'or ou d'argent.

BUTER, v. i. heurter du pied. | Achopper, heurter : *buter contre quelqu'un.* | **Se buter, v. pr.** s'entêter. *Homonyme :* **BUTTER, v. t.** rassembler une motte de terre autour d'une plante. *Conjugaison 1er groupe.*

BUTTE, s. f. motte de terre, petite colline. *Ne pas confondre avec* **BUT, s. m.** point que l'on vise. | Objectif. Aboutissement. On prononce le *t* final. *De but en blanc* : sans préparation.

CABALE, KABALE s. f. tradition juive sur l'interprétation de la Bible. | Art ésotérique. *Homonyme :* **CABALE, s. f.** intrigue, complot.

CABOTER, v. i. naviguer le long des côtes. *Ne pas confondre avec* **CABOTINER, v. i.** jouer, pour un acteur, sans talent, avec des effets appuyés. *Conjugaison 1er groupe.*

CADUCÉE, s. masculin attribut de Mercure, baguette entourée de deux serpents. | Symbole du corps médical. *Ne pas confondre avec* **CADUCITÉ, s. f.** état de ce qui est caduc. | État du corps humain dans l'extrême vieillesse.

CAHOT, s. m. saut que fait une voiture sur un chemin raboteux ; les inégalités de ce chemin. *Homonyme :* **CHAOS, s. m.** confusion de toutes choses. État du monde avant la création. | Choses embrouillées.

CAL, s. m. durillon aux pieds ou aux mains. | Soudure naturelle des deux fragments d'un os cassé. *Pluriel* des cals. *Ne pas confondre avec* **CALE**, **s. f.** pièce qu'on pose sous un objet pour le faire tenir d'aplomb. |Pièce de bois servant de coin entre deux autres pour les serrer. | Terrain en pente douce pour la construction ou la réparation des vaisseaux. | Le lieu le plus bas d'un vaisseau.

CANONISER, v. t. mettre dans le catalogue des saints. *Ne pas confondre avec :* **CANON-NER, v. t.** bombarder au canon. *Conjugaison 1er groupe*.

CARPE, s. f. poisson d'eau douce. | *Saut de carpe*, qu'on fait étant à plat sur le dos ou sur le ventre. *Homonyme* : **CARPE, s. m.** partie entre l'avant-bras et la main (poignet).

CATARRHE, s. m. inflammation d'une membrane muqueuse. | Gros rhume. *Homonyme* : **CATHARE, s. m.** nom donné aux hérétiques du Languedoc qui refusaient les dogmes catholiques, et qui furent l'objet, au XIIIe siècle, d'une sanglante croisade.

CATHÉTER, s. masculin sonde creuse pour faciliter l'écoulement des urines dans certaines affections. *Ne pas confondre avec* **CATÉNAIRE, s. féminin** pièce soutenant des fils électriques.

CELER, v. t. cacher, taire. *Homonyme* : **SCELLER, v. t.** appliquer le sceau à une lettre. | Apposer par autorité de justice, un cachet. | Fermer hermétiquement un vase, une bouteille. | Cimenter du bois, du fer, dans un mur. | Affermir. *Conjugaison 1er groupe*.

CENSÉ, E, adj. regardé comme ; estimé ; réputé. *À ne pas confondre avec* **SENSÉ, E, adj.** de bon sens.

CENTRIFUGE, adj. qui tend à éloigner d'un centre. *À l'opposé*, **CENTRIPÈTE, adj.** qui tend à approcher d'un centre.

CHAGRIN, s. m. peine, affliction. | Dépit, colère, humeur. *Homonyme :* **CHAGRIN, s. m.** cuir grenu.

CHALAND, E, s. celui, celle qui a coutume d'acheter chez un même marchand. | Acheteur. *Homonyme :* **CHALAND, s. m.** bateau plat pour le transport des marchandises.

CHARME, s. m. enchantement, procédé magique pour séduire. | Au pluriel beauté. *Homonyme :* **CHARME, s. m.** arbre de bois blanc.

CHAS, s. m. trou d'une aiguille. *Homonyme :* **CHAT, s. m.** mammifère domestique félin.

CHÂSSE, s. f. coffre où sont renfermées les reliques d'un saint. | Tout ce qui sert à tenir une chose enchâssée. *Homonyme :* **CHASSE, s. f.** poursuite. | Poursuite d'animaux sauvages. | Les chasseurs, les chiens et tout l'équipage de chasse. | Le gibier pris. | Partie d'un domaine réservé pour la chasse.

CHATON, s. m. petit chat. *Homonyme :* **CHATON, s. m.** partie de la monture dans laquelle une pierre précieuse est enchâssée. | La pierre elle-même.

CHEVÊCHE, s. f. espèce de chouette. *Ne pas confondre avec* **CHEVESNE, s. m.** poisson d'eau douce.

CHRÊME, s. m. huile sacrée pour les sacrements. À ne pas confondre avec **CRÈME, s. f.** partie épaisse et grasse du lait. | Le meilleur d'une chose. | Mets composé de lait et d'œufs. | Liqueur extraite des fruits.

CHUT, interjection silence ! *Phonétiquement proche de :* **CHUTE, s. f.** fait de tomber.

CIRCONCIRE, v. t. Couper le prépuce. *Ne pas confondre avec :* **CIRCONSCRIRE, v. t.** renfermer dans des limites. *Conjugaison 3e groupe*.

CISEAU, s. m. instrument tranchant par un bout, pour travailler le bois, la pierre. | Manière de travailler du sculpteur./**CISEAUX, s. m. pluriel** instrument à deux branches mobiles et tranchantes pour couper des étoffes, du papier.

CLERC, s. m. aspirant ecclésiastique qui a reçu la tonsure. | Homme lettré. | Celui qui travaille dans l'étude d'un notaire, d'un avoué : *faire un pas de clerc*. (Commettre une erreur, par ignorance ou inexpérience.) Le *c* final ne se prononce pas. *Homonyme :* **CLAIR, adj.** lumineux | évident.

CLOCHER, v. i. boiter en marchant. | Avoir quelque chose de défectueux. *Conjugaison 1er groupe*. *Homonyme :* **CLOCHER, s. m.** bâtiment élevé au-dessus d'une église et dans lequel les cloches sont suspendues. | Paroisse ; village natal.

CLORE, v. t. fermer hermétiquement. | Achever, mettre fin, déclarer terminé. | Entourer d'une clôture. *Ne s'emploie pas au passé simple. Conjugaison 3e groupe. Ne pas confon-*

dre avec **CHLORE**, **s. m.** substance gazeuse d'un jaune verdâtre, d'une odeur forte et suffocante.

COCHER, **v. t.** faire une entaille. | Plier la page d'un livre. | Apposer un signe distinctif. *Conjugaison 1ᵉʳ groupe*. *Homonyme :* **COCHER**, **s. m.** celui qui mène un carrosse ou une voiture à cheval.

COGNER, **v. t.** frapper pour enfoncer. | **V. i.** frapper, heurter. *Conjugaison 1ᵉʳ groupe*. *Homonyme :* **COGNÉE**, **s. f.** grande hache de bûcheron

COING, **s. m.** gros fruit jaune en forme de poire, à odeur forte. *Homonyme :* **COIN**, **s. m.** endroit où se rencontrent deux surfaces.

CÔLON, **s. m.** l'un des gros intestins. *Homonyme :* **COLON**, **s. m.** habitant d'une colonie.

COMMUN, **E**, **adj.** qui appartient, qui est propre à tous ou à plusieurs. | Qui se pratique fréquemment. | Dépourvu de noblesse, d'élégance ; vulgaire. | De peu de valeur, médiocre. Ordinaire./**COMMUNS**, **s. m. pluriel** tous les bâtiments nécessaires au service.

CONJECTURE, **s. f.** jugement, opinion établie sur des probabilités. Présomption. *À ne pas confondre avec* **CONJONCTURE**, **s. f.** rencontre de circonstances. | Circonstance.

CONNEXE, **adj.** se dit de choses qui ont de la connexion entre elles, un rapport les unes avec les autres. *Ne pas confondre avec :* **CONVEXE**, **adj.** dont la surface extérieure est ronde.

CONTER, v. t. narrer, faire le récit d'une chose vraie ou fausse, sérieuse ou plaisante. | Narrer. *Conjugaison 1er groupe. Homonyme :* **COMPTER, v. t.** calculer.

CONTESTE (sans), loc. adv. qu'on ne peut contester. *Ne pas faire la confusion avec* **CONTEXTE, s. m.** ensemble ; environnement.

COQ, s. m. celui qui fait la cuisine de l'équipage à bord d'un bateau. *Homonyme :* **COQ, s. m.** mâle de la poule, et par extension, le mâle de plusieurs autres gallinacés.

COR s. m. durillon aux pieds. | Instrument de musique en spirale. *Chercher à cor et à cri.* (Chercher partout, et sans discrétion) **s. m. pluriel.** Cornes du cerf. *Éviter la confusion avec* **CORPS, s. m.**, toute substance. | Ensemble d'un être animé et particulièrement de l'homme. *À corps perdu.* (avec intensité) *Faire folie de son* corps. (c'est *Avoir le diable au* corps) | Cadavre. | Le tronc, la partie du corps humain entre le cou et les hanches. | La principale partie d'une chose. | Réunion de personnes vivant sous les mêmes lois, exerçant la même profession, faisant partie d'une même réunion. | Régiment. | Armée réunie ou partie importante d'une armée. | Épaisseur, solidité, consistance. | Dimension d'un caractère.

COTE, s. f. lettre ou chiffre qu'on met au dos de chaque pièce mentionnée dans un inventaire pour en indiquer l'ordre. | Indication du taux de change. | La part que chacun doit payer d'une dépense, d'un impôt *(cote part)*. *À ne pas confondre avec*

CÔTE, s. f. os courbé et plat allant de l'épine du dos à la poitrine. | Prolongement du pédoncule, nervure d'une feuille. | Terres le long du bord de la mer. Bord. | Penchant d'une montagne.

COU, s. m. partie du corps qui joint la tête au tronc. | Partie longue et étroite à l'embouchure de vases ou bouteilles. *Homonyme :* **COUP, s. m.** choc, impression que fait un corps sur un autre en le frappant. | Marque, blessure qui en résulte. | Accident. | Événement extraordinaire et imprévu. | Action préméditée, tentative. | Quantité de boisson qu'on avale en une fois. | Décharge des armes à feu. | Bruit produit par la décharge d'une arme, par le tonnerre ou par le choc d'un corps contre un autre. | Action rapide et momentanée de certaines choses. *Autre homonyme :* **COÛT, s. m.** ce qu'une chose coûte.

COURRE *chasse à courre*, où l'on s'efforce d'atteindre la bête en la fatiguant. *Homonyme :* **COURS, s. m.** mouvement des eaux. | Leur direction. | Leur longueur. | Écoulement. | Prix auquel se vendent les marchandises. | Durée. | Leçon professorale. | Ouvrage qui renferme le résumé d'un cours. | Promenade publique à l'extérieur d'une ville. *Homonyme :* **COURT, E, adj.** qui a peu de longueur ; opposé à long. | De petite taille. | Qui dure peu. Bref. | En petite quantité, insuffisant. *Homonyme :* **COUR, s. f.** espace découvert entouré de bâtiments ou

de murs. | Entourage d'un souverain. |
Juges. | Assiduités pour séduire.

CRÊPER, v. t. peigner les chevaux à contresens pour les faire bouffer. *Conjugaison
1er groupe. Ne pas confondre avec :* **CRÉPIR,
v. t.** enduire de plâtre ou de mortier un
mur. *Conjugaison 2e groupe.*

CROASSER, v. i. crier comme un corbeau.
Ne pas confondre avec : **COASSER, v. i.**
crier comme une grenouille. *Conjugaison
1er groupe.*

CRU, s. m. terroir. *Homonyme :* **CRU, E,
adj.** qui n'est pas cuit. | Non préparé. |
Choquant, indécent. *Homonyme :* **CRÛ, participe passé** de *croître. Autre homonyme :*
CRUE, s. f. augmentation de volume, d'éten-
due. | Inondation, lorsqu'une rivière sort de
son lit.

CUISSEAU, s. m. cuisse de veau./**CUISSOT,
s. m.** cuisse d'une bête fauve (chevreuil, cerf,
sanglier…).

CURE, s. f. traitement, guérison d'une
maladie. *Homonyme :* **CURE, s. f.** bénéfice,
fonctions, logement d'un curé ; paroisse
qu'il administre.

DATE, s. f. époque à laquelle une chose a
été faite. | Chiffre qui indique la date.
Homonyme : **DATTE, s. f.** fruit du dattier.

DÉCADE, s. f. espace de dix jours. La
DÉCENNIE, s. f. est une période de dix ans.

DÉCOLLATION, s. f. action de couper la tête.
À ne pas confondre avec **DÉCOLLEMENT,
s. m.** action de décoller, de se décoller.

DÉCRÉPIT, E, adj. très vieux et cassé. À ne pas confondre avec **DÉCRÉPI, E, adj.** qui a perdu son crépi.

DÉFALQUER, v. t. déduire, soustraire d'une somme, d'une quantité. *Ne pas confondre avec* **DÉFÉQUER, v. t.** séparer des parties nutritives et des parties excrémentielles des aliments. *Conjugaison 1ᵉʳ groupe*.

DÉIFIER, v. t. mettre au rang des dieux. | Louer à l'excès. *Ne pas confondre avec :* **DÉFIER, v. t.** provoquer. *Conjugaison 1ᵉʳ groupe*.

DÉLACER, v. t. défaire le lacet. *Ne pas confondre avec :* **DÉLASSER, v. t.** ôter la lassitude. *Conjugaison 1ᵉʳ groupe*.

DÉMYSTIFIER, v. t. révéler un mystère. | Détromper la victime d'une mystification. *Ne pas confondre avec :* **DÉMYTHIFIER, v. t.** détruire un mythe. *Conjugaison 1ᵉʳ groupe*.

DESCELLER, v. t. arracher une chose qui est scellée. | Ôter le sceau. *Ne pas confondre avec :* **DÉCELER, v. t.** découvrir ce qui est caché. *Conjugaison 1ᵉʳ groupe*.

DESSEIN, s. m. intention, projet, résolution de faire quelque chose ; but. Volonté. *Homonyme :* **DESSIN, s. m.** art de dessiner. | Représentation, au crayon ou à la plume. | Plan d'un ouvrage d'architecture.

DIAGNOSTIC, s. m. connaissance de la nature des maladies. *Ne pas confondre avec* **PRONOSTIC, s. m.** prévision.

DON, s. m. présent, gratification, largesse. | Grâce, avantage naturel. | Disposition, aptitude. | Donation. *Homonyme :* **DON**, titre d'honneur qu'on donne aux nobles d'Espagne et de Portugal. | Pour les dames on dit dona. *Homonyme* : **DONT**, **pronom relatif** mis pour *de qui, duquel, de laquelle, desquels, desquelles, de quoi*.

DU, **art.** contracté pour *de le*. *Homonyme* : **DÛ**, **s. m.** ce qui est dû, ce qui reste à payer.

ÉCAILLER, **v. t.** ôter les écailles. | Ouvrir des coquillages. *Ne pas confondre avec* : **ÉCALER**, **v. t.** ôter l'écale, enveloppe extérieure de certains fruits et légumes. ***Conjugaison 1er groupe.***

ÉCHO, **s. m.** répétition distincte d'un son réfléchi par un corps. | Lieu où l'écho est produit. | Celui qui répète ce qu'un autre dit. *Se prononce éko ; à ne pas confondre avec* **ÉCOT**, **s. m.** dépense commune.

ÉLAN, **s. m.** mammifère ruminant du Nord, semblable au cerf, mais plus gros. *Homonyme* : **ÉLAN**, **s. m.** mouvement rapide avec effort, impulsion. | Mouvements subits d'une âme exaltée. | Chaleur, enthousiasme.

ÉLUCIDER, **v. t.** rendre lucide, éclaircir. *Ne pas confondre avec* : **ÉLUDER**, **v. t.** éviter adroitement. Fuir. ***Conjugaison 1er groupe.***

ENSEIGNE, **s. f.** marque. | Tableau attaché à la porte d'un marchand. | Drapeau. *Homonyme* : **ENSEIGNE**, **s. m.** porte-drapeau. | Grade d'officier de marine.

ENVIRON, **prép. et adv.** à peu près, presque./**ENVIRONS**, **s. m. pluriel** lieux d'alentour.

ÉPISSER, **v. t.** assembler deux cordes en entrelaçant le fil qui les compose. *Homonyme* :

ÉPICER, v. t. mettre des aromates, assaisonner.

ÉTAMINE, s. f. petite étoffe légère. | Tissu peu serré pour passer au tamis. *Homonyme* : **ÉTAMINE, s. f.** organe mâle des fleurs, formé d'un filet plus ou moins allongé et d'une espèce de tête nommée anthère, dans laquelle est renfermée la poussière fécondante.

ÉTIQUE, adj. maigre, décharné. *Homonyme* : **ÉTHIQUE, s. f.** morale.

ÉTIQUETTE, s. f. petit écriteau sur des sacs, des enveloppes, des dossiers pour en faire connaître le contenu ou le prix. *Homonyme* : **ÉTIQUETTE, s. f.** cérémonial de la Cour, usages dans la société.

EXHALER, v. t. pousser hors de soi des vapeurs, des odeurs ; évaporer, répandre. | Mourir, expirer. | Manifester, proférer. | **S'exhaler, v. pr.** se dissiper par l'évaporation. | Se répandre au dehors. *Ne pas confondre avec :* **EXALTER, v. t.** louer, vanter. | Jeter dans le délire. ***Conjugaison 1er groupe***.

EXHAUSSER, v. t. monter en hauteur. | Surélever. *Homonyme* : **EXAUCER, v. t.** écouter favorablement et accorder. ***Conjugaison 1er groupe***.

FAÎTE, s. m. comble d'un édifice. | Sommet. | Le plus haut point : *Et monté sur le faîte, il aspire à descendre.* (Corneille.) *Homonyme* : **FÊTE, s. f.** jour consacré à la commémoration des saints. | Réjouissances.

FARCE, s. f. viandes hachées pour mettre en garniture. | Mélange d'oseille et d'autres herbes bouillies. *Homonyme :* **FARCE, s. f.** pièce comique.

FARD, s. m. composition cosmétique qui imite les couleurs naturelles de la peau. | Feinte, déguisement. *Piquer un fard* : rougir. Au pluriel, le *s* ne se prononce pas. *Homonyme :* **Fart, s. m.** substance dont on enduit des skis ou des patins afin qu'ils glissent mieux. On prononce le *t*.

FAUX, s. f. instrument pour faucher. *Homographe :* **FAUX, s. m.** ce qui est contraire à la vérité ; ce qui manque de naturel. | Signature, écrit contrefait ou altéré.

FICHU, s. m. foulard. *Homographe :* **FICHU, adj.** déplaisant (*familier*).

FILIAL, E, adj. qui appartient au fils. *Homonyme :* **FILIALE, s. f.,** succursale.

FILTRE, s. m. étoffe, papier, pierre poreuse ou charbon à travers lequel on fait passer un liquide qu'on veut clarifier, purifier. *Homonyme :* **PHILTRE, s. m.,** médicament qu'on suppose propre à inspirer l'amour.

FIN, s. f. ce qui termine. | Mort. | But, raison d'agir. *Homonyme :* **FIN, E, adj.** délié, menu. | Qui a de l'élégance et de la délicatesse. | Qui n'est pas commun, qui est recherché, excellent. | Subtil, délicat, spirituel. | Avisé, rusé, adroit.

FLAN, s. m. tarte au lait, aux œufs, etc. | Métal taillé en rond pour faire une pièce de monnaie, un jeton, une médaille. *Homonyme :* **FLANC, s. m.** partie du corps depuis les côtes jusqu'aux hanches ; le côté. | Sein d'une mère. | Côté de certaines choses.

FLEXION, s. f. action de fléchir ; état de ce qui est fléchi. *Ne pas confondre avec* **FLUXION, s. f.** afflux de sang sous l'empire de l'irritation. | Gonflement douloureux.

FOI, s. f. doctrine chrétienne. | Probité, fidélité à ses promesses. | Croyance. | Confiance. | Témoignage, assurance. *Homonyme :* **FOIE, s. m.** organe de la digestion, sécréteur de la bile. *Homonyme :* **FOIS, s. f.** mot qui, joint à un nom de nombre, désigne la quantité, la réitération des choses, des actions. | Exprime l'occasion, la circonstance. | Quantité.

FONTE, s. f. action de fondre. | Métaux fondus dont le cuivre fait la principale partie. | Fer fondu. | Imprimerie, assortiment complet de caractères. *Homonyme :* **FONTE, s. f.** chacun des deux fourreaux de gros cuir que l'on attache à l'arçon d'une selle pour y mettre des pistolets.

FORCER, v. t. surmonter une résistance par la force. | Prendre par force. | Vaincre, triompher, soumettre. | Rompre avec violence. | Contraindre, violenter. | Outrer, tirer des effets extraordinaires. | **Se forcer**, **v. pr.** se faire violence ; s'obliger. *Conjugaison 1er groupe. Ne pas confondre avec :* **FORCIR, v. i.** grossir. *Conjugaison 2e groupe.*

FORET, s. m. mèche pour percer. *Homonyme :* **FORÊT, s. f.** bois qui couvre une grande étendue de terrain. | Grande quantité.

FORT, E, adj. robuste, vigoureux. | Puissant, considérable. | **FORT, adv.** avec force. | Extrêmement, beaucoup. *Homonyme :* **FOR, s. m.** coutume, terme archaïque utilisé dans l'expression *en son for intérieur* (selon sa conscience). *Homonyme :* **FORS, prép.** excepté : *tout est perdu, fors l'honneur.* (François Ier.)

FOUDRE, s. f. fluide électrique enflammé, sortant des cieux avec fracas, et qui renverse, tue, pulvérise ce qu'il atteint. | Sa représentation ; dards enflammés en zigzag servant d'armes à Jupiter. | Courroux des cieux ; colère. *Homographe :* **FOUDRE, s. m.** grand tonneau.

FRAI, s. m. reproduction des poissons. | œufs des reptiles batraciens et des poissons. | Temps de la ponte. | Se dit de ces reptiles et des poissons nouvellement nés. | Altération des monnaies par le frottement. *Homonyme :* **FRAIS, FRAÎCHE, adj.** médiocrement froid. | Froid. | Coloré, éclatant. | Récent. | Dispos. *Homonyme :* **FRAIS, s. m. pluriel** argent payé pour le prix d'une chose.

FRANC, s. m. premier nom des Français (*féminin Franque*). | Nom donné aux Européens par les Orientaux. | Pièce de monnaie. *Homonyme :* **FRANC, FRANCHE, adj.** libre. | Exempt de charges, de dettes. | Loyal, sincère. | Entier, complet.

GAILLARD, E, s. homme, femme qui aime la joie et les plaisirs. *Homonyme :* **GAILLARD, s. m.**, élévation sur le tillac à la proue et à la poupe d'un vaisseau : *gaillard d'avant*, d'arrière.

GARE interj. cri pour avertir. *Homonyme :* **GARE, s. f.** débarcadère de passagers et de marchandises relatif aux transports ferroviaires, routiers ou aériens.

GAZ, s. m. substance réduite à l'état de fluide par sa combinaison permanente avec le calorique. | Gaz qui sert à l'éclairage ou au chauffage. *Homonyme :* **GAZE, s. f.** tissu fin, transparent.

GEAI, s. m. oiseau à plumage bigarré, de la famille des corbeaux. *Homonyme :* **JAIS, s. m.**, bitume fossile d'un noir luisant.

GÊNE, s. f. situation pénible, incommode. *Où il y a de la gêne, il n'y a pas de plaisir.* | Contrainte fâcheuse. | Manque d'argent passager ; état voisin de la pauvreté. *Homonyme :* **GÈNE, s. m.** molécule porteuse de caractères héréditaires.

GENS, s. pluriel personnes d'un même pays, d'un même parti. *Gens est féminin pour l'adjectif qui le précède (de bonnes gens) et* masculin *dans tous les autres cas.* | Domestiques. *Ne pas confondre avec* **GENT, s. féminin** espèce, race.

GESTE, s. m. mouvement du corps, surtout des bras et des mains. *Homonyme :* **GESTE, s. f.** poème épique médiéval.

GÎTE, s. m. lieu où dormir. | Terrier du lièvre. | Le bas de la cuisse du bœuf. *Homonyme :* **GÎTE, s. f.** inclinaison d'un bateau.

GOÛTER, v. t. sentir, discerner les saveurs. | Prendre un peu d'un mets, d'une liqueur, pour en juger le goût. | Savourer. | Apprécier les qualités. | Approuver, trouver bon. | Sentir, jouir. | **V. i.** manger une petite quantité d'un aliment. | Essayer, éprouver. | Faire un léger repas entre le déjeuner et le dîner. *Ne pas confondre avec :* **GOUTTER, v. i.** laisser tomber une petite quantité d'un liquide, goutte par goutte. ***Conjugaison 1ᵉʳ groupe.***

GOUTTE, s. f. inflammation périodique des articulations. *Homonyme :* **GOUTTE s. f.** petite quantité de liquide. | Peu : *ne voir, n'entendre goutte* : ne rien voir, ne rien entendre.

GREFFE, s. m. lieu d'un tribunal où sont déposées les minutes des jugements des divers actes de procédure, et où se font certains dépôts. *Homonyme :* **GREFFE, s. f.** opération qui consiste à enter une portion de plante sur une autre plante dont elle fait ensuite partie. | Opération chirurgicale consistant à implanter sur un patient l'organe d'un autre sujet.

GUIDE, s. m. celui qui accompagne quelqu'un pour lui montrer son chemin. | Personne, manuel qui donne des avis, des instructions. | Ce qui nous fait agir, ce qui dirige notre conduite. | Titre de certains livres qui contiennent des instructions. *Ce mot n'a pas de féminin. Homonyme :* **GUIDE, s. f.** lanière de cuir attachée à la bride d'un cheval pour le conduire.

HÂLER, v. t. brunir une peau exposée à l'air et au soleil. *Ne pas confondre avec :* **HALER, v. t.** tirer à soi avec force et presque horizontalement à l'aide d'un cordage. *Conjugaison 1er groupe*.

HARDE, s. f. troupe de bêtes fauves. *Homonyme :* **HARDES, s. f. pluriel** vêtements vieux et sales.

HÉRAUT, s. m. officier qui fait certaines publications solennelles. *Homonyme :* **HÉROS, s. m.** fils d'un dieu ou d'une déesse, et d'une personne mortelle. | Celui qui se distingue par sa valeur, par sa grandeur d'âme. | Principal personnage d'un roman. | Homme qu'on admire et qu'on loue en toute occasion.

HEUR, s. m. bonne fortune. *Homonyme :* **HEURE, s. f.** 24e partie du jour. | Chacune des douze heures du matin et du soir. | Signes d'un cadran qui servent à l'indication des heures. | Temps destiné à certaines choses. | Certain espace de temps. | Temps, époque. *Homonyme :* **HEURT, s. m.** choc, coup donné en heurtant contre quelque chose.

HIÉRARCHIQUE, adj. qui appartient à la hiérarchie. *Ne pas confondre avec* **HIÉRATIQUE, adj.** qui concerne les choses sacrées, les prêtres, la divinité.

HOSPICE, s. masculin autrefois petite maison religieuse où l'on recevait les moines en voyage. | Établissement où l'on reçoit des indigents. *Homonyme :* **AUSPICE, s. m.** présage, divination.

HÔTEL, s. m. grande maison d'une personne de rang distingué. *Hôtel de ville*, maison publique où l'on s'assemble pour les affaires de la ville. *Homonyme :* **AUTEL, s. m.**

table pour les sacrifices ou la célébration d'un culte.

HOUE, s. f. instrument de fer large et recourbé pour retourner la terre. *Homonyme :* **HOUX, s. m.** arbrisseau toujours vert dont les feuilles sont armées de piquants.

ILÉON, s. m. la plus grande portion de l'intestin grêle. *Ne pas confondre avec* **ILION, s. m.** nom des trois os qui forment les os des hanches ou os iliaques.

IMMINENCE, s. f. état de ce qui est imminent. Proximité. *Ne pas confondre avec* **ÉMINENCE, s. f.** petite élévation. | Titre donné aux cardinaux.

INCULPER, v. t. accuser quelqu'un d'une faute. *Ne pas confondre avec :* **INCULQUER, v. t.** imprimer une chose dans l'esprit à force de la répéter. ***Conjugaison 1er groupe***.

INJECTION, s. f. action d'injecter. | Liquide qu'on injecte. *Ne pas confondre avec* **INJONCTION, s. f.** commandement exprès.

JEUNE, adj. peu avancé en âge. | Qui a encore la vigueur de la jeunesse. Vert. | Étourdi, évaporé. | Cadet. *À ne pas confondre avec :* **JEÛNE, s. m.** abstinence de nourriture.

LACS, s. m. nœud coulant pour prendre du gibier. Lasso. *Homonyme :* **LAC, s. m.** grande étendue d'eau dormante.

LAI, s. m. ancienne poésie plaintive. *Homonyme :* **LAI, E, adj.** laïque. *Homonyme :* **LAID, E, adj.** difforme, désagréable à la vue. *Il était si laid que lorsqu'il faisait des*

grimaces, il l'était moins. (Jules Renard.) |
Contraire à la bienséance ; honteux.

LAIE, s. f. femelle du sanglier. *Homonyme :*
LAIE, s. f. route étroite percée dans une
forêt.

LEST, s. m. ce qu'on met au fond d'un
bateau pour le tenir en équilibre. | Ce qu'on
met au fond de la nacelle d'un ballon pour
le tenir en équilibre. *Homonyme :* **LESTE,
adj.** qui a de la légèreté dans ses mouve-
ments. | Prompt à prendre une détermina-
tion. | Peu délicat dans les propos, osé,
coquin.

LIEU, s. m. espace qu'occupe un corps. |
Endroit. Mauvais lieux, maison de débau-
che. | **Au pluriel** latrines. | Différentes piè-
ces d'une maison. | *Lieux communs* images,
pensées, traits devenus communs par
l'usage qu'on en fait ; trivialités. | *Au lieu
de,* **loc. prép.** à la place de... *Homonyme :*
LIEUE, s. f. ancienne mesure de distance.

LIMBE, s. m. bordure d'un astre. | Au plu-
riel lieu où étaient les saints de l'Ancien Tes-
tament. | Séjour des enfants morts sans
baptême. *Ne pas confondre avec* **NIMBE, s. m.**
cercle autour de la tête d'un saint, d'une
divinité.

LIQUÉFIER, v. t. rendre liquide. *Ne pas confondre avec* **LIQUIDER, v. t.** fixer, arrêter
un compte, éteindre ses dettes. | Vendre à
bas prix. | Se débarrasser. ***Conjugaison
1ᵉʳ groupe.***

LIS, LYS, s. m. plante bulbeuse, à fleurs
blanches et odorantes. | Blancheur extrême.

Fleurs de lis trois fleurs de lis liées ensemble, qui étaient les armoiries de la monarchie de France. *Homonyme :* **LISSE, s. f.** fabrique de tapisserie, nommée *haute lisse*, quand le fond sur lequel les ouvriers travaillent est tendu de haut en bas, et *basse lisse*, quand il est horizontal. | Fil qui sert à faire du ruban. *Homonyme :* **LICE, s. f.** lieu préparé pour les courses, les combats, les tournois. | Barrière d'un manège. | Garde-fou d'un pont. *Homonyme :* **LISSE, adj.** uni, poli.

LOUCHE, adj. dont les yeux n'ont pas la même direction. | Équivoque, suspect. *Homonyme :* **LOUCHE, s. f.** ustensile de cuisine pour servir les liquides.

MAGOT, s. m. singe sans queue, du genre des macaques. | figure grotesque de porcelaine. *Homonyme :* **MAGOT, s. m.** amas d'argent caché.

MANCHE, s. m. partie par où l'on prend un instrument pour s'en servir. *Homonyme :* **MANCHE, s. f.** partie du vêtement qui couvre le bras. | Long tuyau de cuir, de toile, par lequel passent des fluides. | Partie.

MARRON, s. m. grosse châtaigne bonne à manger. *Homonyme :* **MARRON, adj. m.** sauvage. Nègre marron, fugitif. | Clandestin. | Couleur marron, rouge brun. | **S. m.** couleur qui imite celle du marron.

MARTYR, E, adj et s. qui a souffert la mort pour sa foi. | Qui souffre beaucoup. | Qui a beaucoup souffert pour un parti, une opinion, une passion. *Ne pas confondre* le martyr, la martyre, qui ont souffert pour leur foi *avec le* **MARTYRE, s. m.** mort, tourments endurés pour la foi. | Peine quelconque.

MASSER, v. t. exercer le massage. *Homonyme :* **MASSER, v. t.** disposer par masses. | Accumuler. ***Conjugaison 1er groupe***.

MÂTIN, s. m. grand chien de garde. *Homonyme :* **MATIN, s. m.** les premières heures du jour. | Tout le temps qui s'écoule depuis minuit jusqu'à midi. *Et rose, elle a vécu ce que vivent les roses, l'espace d'un matin.* (Malherbe.) | Commencement. | Aurore, levant.

MÉMOIRE, s. féminin faculté par laquelle l'esprit conserve le souvenir des idées qu'il a reçues. *La mémoire est toujours aux ordres du cœur.* (Rivarol.) | Souvenir de la postérité. | Réputation bonne ou mauvaise qu'on laisse après sa mort. | Commémoration. | *En mémoire de...*, pour perpétuer le souvenir de... *Homonyme :* **MÉMOIRE, s. masculin** écrit pour se souvenir d'une chose, pour donner des instructions sur une affaire. | État sommaire, compte. | Dissertation sur un sujet scientifique. | *Au pluriel* relations écrites par ceux qui ont eu part aux affaires publiques, ou qui en ont été les témoins oculaires. | Documents d'après lesquels on écrit l'histoire.

MENU, E, adj. délié, peu gros. | De peu de conséquence. *Homonyme :* **MENU, s. m.** liste des mets qui entrent dans un repas. | Repas proposé dans un restaurant.

MERCI, s. féminin miséricorde. *Homonyme :* **MERCI, s. masculin** remerciement.

METS, s. m. tout ce qu'on sert sur une table pour manger. *Homonyme :* **MAI, s. m.** cinquième mois de l'année. *Homonyme :* **MAIE, s. f.** pétrin.

MEUBLE, adj. aisé à remuer. *Homonyme :* **MEUBLE, s. m.** tout ce qui sert à garnir, à orner une maison, et qui peut se transporter.

MINE, s. f. air du visage, physionomie, figure. | *Au pluriel :* faire des mines, se donner des airs pour sous-entendre ; minauder. | Apparence. *Homonyme :* **MINE, s. f.** lieu d'où l'on extrait les minéraux, les métaux et quelques pierres précieuses. | Cavité souterraine. | Source féconde. | Cavité souterraine pratiquée sous une fortification pour la faire sauter au moyen de la poudre. | Engin explosif enfoui qui explose lorsqu'on passe dessus.

MINEUR, s. m. celui qui tire les minéraux des mines. *Homonyme :* **MINEUR, E, adj.** plus petit. | Qui n'a pas atteint l'âge prescrit par les lois pour disposer de sa personne et de ses biens.

MODE, s. m. manière d'être. | Ton dans lequel une pièce de musique est composée : *mode majeur, mineur.* | En grammaire, forme que prend le verbe pour indiquer de quelle manière est présentée l'affirmation. *Homonyme :* **MODE, s. f.** usage passager qui dépend du goût, du caprice. | Manière, coutume, usage. | Vogue.

MOLLET, TE, adj. qui est d'une mollesse agréable au toucher. *Homonyme :* **MOLLET, s. m.** le gras de la jambe.

MONTRE, **s. f.** ce qu'on montre d'une marchandise pour faire juger du reste. | Étalage. | Apparence. *Homonyme :* **MONTRE**, **s. f.** petite horloge portative.

MOT, **s. m.** une ou plusieurs syllabes dont l'ensemble présente une idée. | Le matériel des sons, abstraction faite des idées. | Ce qu'on dit, ce qu'on écrit brièvement à quelqu'un. | Sentence, parole remarquable. *Homonyme :* **MAUX**, **s. m.** **pluriel de MAL**.

MOU ou **MOL**, **MOLLE**, **adj.** qui cède facilement au toucher, qui reçoit facilement l'impression des autres corps. | Qui a peu de vigueur. | Indolent, irrésolu. | Qui est faible de caractère ; qui est trop indulgent. *Au masculin, mou devient mol devant un mot commençant par une voyelle.* *Homonyme :* **MOÛT**, **s. m.** vin doux non fermenté. *Homonyme :* **MOU**, **s. m.** poumon de veau, d'agneau, de bœuf.

MOULE, **s. m.** matière creusée de manière à donner une forme précise à la cire, au plomb, etc., qu'on y verse liquide. | Modèle. Matrice. Forme. *Homonyme :* **MOULE**, **s. f.** coquillage bivalve de forme oblongue.

MOUSSE, **s. f.** famille de plantes cryptogames. | Écume qui se forme sur les liquides. *Homonyme :* **MOUSSE**, **s. m.** jeune garçon qui sert dans l'équipage d'un bateau.

MUFLE, **s. m.** extrémité du museau de certains animaux. *Homonyme :* **MUFLE**, **s. m.** individu grossier.

MULE, **s. f.** femelle du mulet. *Homonyme :* **MULE**, **s. f.** pantoufle.

MULET, s. m. animal engendré d'un âne et d'une jument, ou d'un cheval et d'une ânesse. *Homonyme :* **MULET, s. m.** poisson de mer.

MYTHE, s. m. récit qui a rapport à l'histoire héroïque ou des temps fabuleux. *Homonyme :* **MITE, s. f.** insecte qui se nourrit de matières végétales et animales ; une variété mange les lainages dans lesquels elle fait des trous.

NADIR, s. m. point imaginaire au centre de la terre part lequel passe une verticale à l'aplomb d'un individu situé sur un point du globe terrestre ; *son opposé :* **ZÉNITH, s. m.** point du ciel élevé verticalement à l'aplomb de cet individu situé sur un point du globe terrestre.

NOM, s. m. partie du discours qui représente les personnes ou les choses. | Mot qui désigne individuellement une personne ou une chose. | Réputation, renom. | Qualité en vertu de laquelle on agit. *Homonyme :* **NON** particule négative s'oppose à *oui* ; redoublée, elle donne plus de force à ce qu'on dit. | On la joint à pas pour nier avec plus de force.

NOYÉ, E, adj et s. qui est mort dans l'eau. | Yeux noyés de larmes, qui en sont pleins. *Homonyme :* **NOYER, s. m.** arbre qui porte des noix. | Son bois.

OFFICIER, v. t. célébrer une cérémonie. *Conjugaison 1ᵉʳ groupe. Homonyme* **OFFICIER, s. m.** ce qui a un office, une charge. | Militaire qui a un grade. | Dignitaire de certains ordres.

ONCE, **s. f.** ancienne mesure de poids. *Homonyme :* **ONCE**, **s. m.** espèce de petite panthère.

ONDOYER, **v. t.** baptiser. | **V. i.** se mouvoir en ondulant. *Ne pas confondre avec :* **ONDULER**, **v. i.** avoir un mouvement d'ondulation. ***Conjugaison 1ᵉʳ groupe.***

ORIGINAL, **E, adj.** qui a servi de modèle, et qui n'en a point eu. | Se dit d'un auteur, d'un artiste qui ne s'inspire que de lui-même et puise dans son propre fonds. | Singulier, bizarre. | **S. m.** modèle primitif, par opposition à copie. | Personne dont on fait le portrait ; modèle qu'on imite. | Homme bizarre et singulier. *Ne pas confondre avec* **ORIGNAL**, **s. m.** élan du Canada.

OUI, particule d'affirmation. *Homonyme :* **OUÏE**, **s. f.** celui des cinq sens par lequel on reçoit les sons. | *Au pluriel* organes de la respiration chez les poissons, placés entre la tête et le tronc. | Ouvertures à la table supérieure de certains instruments de musique.

PACIFIQUE, **adj.** qui aime la paix ; paisible, tranquille. *Ne pas confondre avec* **PACIFISTE**, **adj**, qui est partisan de la paix.

PAGE, **s. m.** jeune gentilhomme servant auprès des princes. *Homonyme :* **PAGE**, **s. f.** l'un des côtés d'un feuillet de papier. | Écriture contenue dans la page.

PAL, **s. m.** pieu aiguisé par un bout. | Instrument de supplice. | Pieu perpendiculaire qui traverse l'écu, sur les blasons. *Homonyme :* **PALE**, **s. f.** bout plat de l'aviron. | Petite vanne. *Homonyme :* **PÂLE**, **adj.** blême, qui tire sur le blanc. | Sans éclat. | Faible de couleur.

PALAIS, **s. m.** maison de roi, de prince. | Maison magnifique. | Lieu où l'on rend la justice. *Homonyme :* **PALAIS**, **s. m.** partie supérieure du dedans de la bouche. | Sens du goût.

PALLIER, **v. t.** remédier en apparence. S'emploie avec le complément d'objet direct (*pallier une faute*), et non pas *pallier à*. ***Conjugaison 1ᵉʳ groupe***. *Homonyme :* **PALIER**, **s. m.** plate-forme, à chaque étage d'un escalier.

PANSER, **v. t.** appliquer sur une plaie les remèdes convenables. | Étriller, brosser les bêtes de somme. *Homonyme :* **PENSER**, **v. i.** former dans son esprit l'idée, l'image d'une chose. | Réfléchir. | Raisonner. | Croire, juger. | Former un dessein. | Songer à, se souvenir de. ***Conjugaison 1ᵉʳ groupe***.

PAPILLONNER, **v. i.** voltiger d'objet en objet. *Ne pas confondre avec* **PAPILLOTER**, **v. i.**, en parlant des yeux, ne jamais se fixer, par un mouvement involontaire. ***Conjugaison 1ᵉʳ groupe***.

PÂQUE, **s. f.** fête annuelle des Juifs, en mémoire de leur sortie d'Égypte. | **PÂQUES**, **s. f. pluriel** fête de l'Église, en mémoire de la Résurrection de Jésus-Christ.

PARAPHRASE, **s. f.** explication étendue d'un texte | Interprétation exagérée. *Ne pas confondre avec* **PÉRIPHRASE**, **s. f.** circonlocution, tour dont on se sert pour exprimer ce qu'on ne veut pas dire en termes propres.

PARQUER, v. t. mettre dans un parc, dans une enceinte. *Conjugaison 1er groupe*. *Homonyme* : **PARQUET, s. m.** espace renfermé par les sièges des juges et par le barreau où l'on plaide. | Lieu du palais où le ministère public donne ses audiences. | Assemblage de planches sur un plancher.

PEAU, s. f. enveloppe universelle du corps. | Cuir préparé. | Enveloppe des fruits, des plantes. | Couche épaisse qui se forme sur de la bouillie, sur des confitures, etc. *Homonyme* : **POT, s. m.** vase, récipient de terre ou de métal. | Ce que contient un pot. | Marmite où l'on fait bouillir la viande.

PÉCHER, v. i. transgresser la loi divine. | Faillir. *Homonyme* : **PÊCHER, v. tr.** prendre du poisson, des perles, du corail. | Tirer de l'eau quelque chose qui s'y trouve par accident. *Conjugaison 1er groupe*.

PEINE, s. f. punition. | Douleur. | Inquiétude. | Travail, fatigue. | Obstacle, difficulté. | Besoin, dénuement. | Répugnance à dire, à faire... *Homonyme* : **PENNE, s. féminin** longue plume des ailes et de la queue des oiseaux. *Homonyme* : **PÊNE, s. m.** morceau de fer qui dans une serrure, entre dans la gâche quand on ferme une porte.

PENDANT, prép. durant un certain temps ; tandis que. *Homonyme* : **PENDANT, s. m.** partie du baudrier ou du ceinturon au travers de laquelle on passe l'épée. | — d'oreilles, pierreries attachées aux boucles d'oreilles. | Pareil.

PENDULE, **s. m.** poids suspendu de manière qu'étant mis en mouvement, il fasse, en allant et venant, des oscillations régulières. *Homonyme :* **PENDULE**, **s. f.** horloge à poids ou à ressort à laquelle on joint un pendule, dont les oscillations servent à en régler le mouvement.

PENSÉE, **s. f.** faculté de réfléchir ; intelligence. | Chose pensée et exprimée. Idée | Méditation, rêverie. | Souvenir. | Opinion. *Homonyme :* **PENSÉE**, **s. f.** plante qui produit une petite fleur à cinq feuilles, nuancée de violet et de jaune.

PERCHE, **s. f.** poisson d'eau douce. *Homonyme :* **PERCHE**, **s. f.** tige de bois d'environ quatre mètres, de la grosseur du bras.

PHASE, **s. f.** changements successifs. *Ne pas confondre avec* **PHRASE**, **s. f.** assemblage de mots présentant un sens complet.

PHILTRE, **s. m.** médicament qu'on supposait propre à inspirer l'amour. *Homonyme* **FILTRE**, **s. m.**

PHYSIQUE, **s. féminin** science qui a pour objet les corps naturels, leurs propriétés et les lois auxquelles ils sont soumis. *Homonyme :* **PHYSIQUE**, **s. masculin** constitution naturelle et apparente d'un homme. | Physionomie.

PINÇON, **s. m.** marque qui reste sur la peau qui a été pincée. *Homonyme :* **PINSON**, **s. m.** petit oiseau à diverses couleurs, à bec gros et dur.

PIS, **adj.** plus mal, plus mauvais, plus méchant : c'est l'opposé de mieux. | **adv.**

plus mal. Pire. *Homonyme :* **PIS, s. m.** tétine de vache, de brebis, de chèvre.

PLINTHE, s. f. bande ou saillie plate au bas d'un mur d'appartement, d'un lambris. *Homonyme :* **PLAINTE, s. f.** gémissement, lamentation. | Mécontentement exprimé de vive voix ou par écrit. | Réclamation adressée par écrit à la justice.

POÊLE, s. f. ustensile de cuisine, pour frire. *Homonyme :* **POIL, s. m.** filets déliés qui croissent sur la peau des animaux et en plusieurs endroits du corps humain. | Chevelure. | Barbe. | Couleur, en parlant de certains animaux. | Partie velue d'une étoffe.

POING, s. m. main fermée. *Homonyme :* **POINT, s. m.** piqûre que fait dans l'étoffe une aiguille. | La plus petite portion d'étendue possible, et même ce qui théoriquement n'a aucune étendue. | Chaque partie d'une ligne, d'une surface. | Endroit fixe et déterminé. | Douleur piquante, surtout au côté. | Petite marque ronde qu'on met après une note pour en augmenter la valeur de moitié. | Petite marque ronde sur un i ou à la fin d'une phrase. | Dans les écoles, bonne ou mauvaise note. | Dans la plupart des jeux, nombre que l'on marque à chaque coup. | Question, difficulté. | Division d'un discours. | Degré. | Temps précis, moment.

POIX, s. f. matière résineuse tirée du pin ou du sapin. *Homonyme :* **POIS, s. m.** plante légumineuse à graine ronde.

POMPE, s. f. appareil magnifique, somptuosité. | Harmonie, noblesse, élévation, grandeur. | Vanité. *Homonyme :* **POMPE, s. f.** machine pour élever l'eau. | Partie des instruments à vent qui s'allonge ou se raccourcit pour changer le ton de l'instrument.

PORE, s. m. ouverture imperceptible qui sépare les molécules des corps. *Homonyme :* **PORC, s. m.** cochon. | Chair du cochon. *Homonyme :* **PORT, s. m.** lieu propre à recevoir les bateaux et à les tenir à l'abri des tempêtes. | Lieu de repos. | Ville bâtie sur un port. *Homonyme :* **PORT, s. m.** action de porter. | Droit qu'on paie pour le transport des marchandises ou l'envoi de lettre. | Manière de porter sa tête, de marcher, de se présenter.

POSTE, s. f. relais pour voyager. | Courrier. | Bureau où on le distribue. *Homonyme :* **POSTE, s. m.** lieu où un soldat est placé par son commandant. | Emploi, fonction.

POULS, s. m. battement des artères. *Homonyme :* **POU, s. m.** insecte qui vit dans les cheveux sales, ou dans le poil et les plumes des animaux. *Pluriel : des poux.*

PRÉDICATION, s. f. action de prêcher. | Sermon. *Ne pas confondre avec* **PRÉDICTION, s. f.** action de prédire. | Chose prédite.

PRÉPOSITION, s. f. mot invariable qui exprime le rapport des mots entre eux. *Ne pas confondre avec* **PROPOSITION, s. f.** discours qui affirme ou qui nie. | Conditions. | Ce qu'on propose pour qu'on en délibère.

PRÉSENT, s. m. le temps où nous sommes. |
Le premier temps de chaque mode d'un
verbe, celui qui marque le temps présent.
Homonyme : **PRÉSENT, s. m.** tout ce qu'on
donne par pure libéralité. Don.

PRÊT, s. m. action de prêter. | La chose
prêtée. *Homonyme :* **PRÊT, E, adj.** qui est en
état de, disposé, préparé à. *Homonyme :*
PRÈS prép. qui marque la proximité. |
Presque. | **adv.** non loin.

PRISER, v. t. mettre le prix à une chose, en
faire l'estimation. | Estimer. *Homonyme :*
PRISER, v. i. prendre du tabac par le nez.
Conjugaison 1er groupe.

PRODIGE, s. m. effet contre le cours ordi-
naire de la nature. | Événement extraordi-
naire. *Ne pas confondre avec :* **PRODIGUE,
adj.** qui dissipe son bien en folles et excessi-
ves dépenses.

PRONOSTIC, s. m. jugement, conjecture
de ce qui doit arriver. | Prévision. *Ne pas
confondre avec :* **DIAGNOSTIC, s. m.** connaissance de la nature des maladies.

PUIS, adv. de temps ou d'ordre, ensuite.
Homonyme : **PUITS, s. m.** trou profond
creusé de main d'homme pour avoir de
l'eau. | Ouverture par laquelle on descend
dans une mine, dans une carrière.

PUPILLE, s. enfant orphelin sous la con-
duite d'un tuteur. *Homonyme :* **PUPILLE, s. f.**
ouverture centrale de l'iris de l'œil.

QUASI, adv. presque. *Homonyme* **s. m.**
morceau de la cuisse du veau.

QUILLE, s. f. morceau de bois arrondi, et plus menu par le haut que par le bas, qu'il faut renverser avec une boule au jeu de quilles. *Homonyme :* **QUILLE, s. f.** longue pièce qui va de la poupe à la proue d'un vaisseau.

RADIER, v. t. rayer le nom de quelqu'un d'un registre, d'une liste. *Conjugaison 1er groupe. Homonyme :* **RADIER, s. m.** grille destinée à porter les planches sur lesquelles on commence, dans l'eau, la fondation des écluses. | Ouverture entre les piles d'un pont.

RAIE, s. f. trait. | Ligne sur la peau, les étoffes, le marbre, etc. | Séparation des cheveux. | Entre-deux des sillons. | Poisson de mer plat et cartilagineux. *Homonyme :* **RAI, s. m.** rayon de lumière. *Homonyme :* **RETS, s. m.** filet pour prendre des oiseaux, des poissons. | Piège.

RAPETASSER, v. t. raccommoder grossièrement de vieilles hardes. *Ne pas confondre avec :* **RAPETISSER, v. t.** rendre plus petit. *Conjugaison 1er groupe.*

RAYER, v. t. faire des raies, couvrir de raies. | Effacer par des ratures. | Ôter d'une liste. | Supprimer, abolir. *Conjugaison 1er groupe. Ne pas confondre avec :* **RAILLER, v. t.** plaisanter quelqu'un, le tourner en ridicule.

RECRÉER, v. t. créer de nouveau ; donner une nouvelle existence. *Conjugaison 1er groupe. Ne pas confondre avec* **RÉCRÉER, v. t.** divertir, réjouir. *Conjugaison 1er groupe.*

RÉFORMER, v. t. rétablir dans l'ancienne forme ou en donner une meilleure, changer

en bien, en mieux. *À ne pas confondre avec*
REFORMER, **v. t.** former de nouveau. *Conjugaison 1ᵉʳ groupe*.

RÊNE, **s. f.** courroie qui sert à maintenir haute la tête d'un cheval. | Guide pour conduire un cheval. | *Au pluriel : tenir les rênes de l'État*, le gouverner. *Homonyme :* **REINE**, **s. f.** femme de roi. | Celle qui possède un royaume. | La première dans son genre. *Homonyme :* **RENNE**, **s. m.** quadrupède des régions nordiques proche du cerf.

RÉSONNER, **v. i.** retentir. *Homonyme :* **RAISONNER**, **v. i.** faire usage de sa raison. | Chercher, alléguer des raisons pour appuyer une opinion. *Conjugaison 1ᵉʳ groupe*.

RESSORTIR, **v. i.** sortir après être rentré, sortir une seconde fois. | Rendre plus saillant, plus visible. *Conjugaison 2ᵉ groupe*. *Homonyme :* **RESSORTIR**, **v. i.** être du ressort d'une juridiction, de la compétence de... *Conjugaison 2ᵉ groupe*.

RÔDER, **v. i.** errer çà et là, tourner avec de mauvaises intentions. *Homonyme :* **RODER**, **v. t.** mettre au point. *Conjugaison 1ᵉʳ groupe*.

ROT, **s. m.** gaz de l'estomac qui sort avec bruit par la bouche. *Homonyme :* **RÔT**, **s. m.** rôti, viande rôtie.

RUE, **s. f.** chemin bordé de maisons dans les villes et les villages. *Homonyme :* **RUE**, **s. f.** plante amère.

SAILLIR, **v. t.** couvrir la femelle, chez les animaux. *Homonyme :* **SAILLIR**, **v. i.** s'avancer en dehors. | Pointer. *Conjugaison 3ᵉ groupe*.

SATIRE, s. f. critique mordante. | Ouvrage qui censure ou tourne en ridicule les vices, les sottises des hommes. *Homonyme* : **SATYRE, s. m.** demi-dieu, moitié homme et moitié bouc. | Papillon diurne.

SCEAU, s. m. cachet officiel pour faire des empreintes sur des actes pour les rendre authentiques. | Signe caractéristique. *Homonyme : SEAU, s. m.* récipient propre à puiser, à transporter l'eau.

SCELLER, v. t. appliquer le sceau à une lettre. | Apposer, par autorité de justice, un cachet. | Fermer hermétiquement un vase, une bouteille. | Cimenter du bois, du fer, dans un mur. | Affermir. *Homonyme :* **CELER, v. t.** cacher, taire. *Homonyme* **SELLER, v. t.** mettre et assujettir la selle sur le dos d'un cheval. ***Conjugaison 1ᵉʳ groupe.***

SCEPTRE, s. m. bâton de commandement, marque de la royauté. *Ne pas confondre avec* **SPECTRE, s. m.** fantôme, figure effrayante qu'on croit voir. | Personne grande, hâve et maigre. | *Spectre solaire* image colorée et oblongue que forment dans une chambre obscure des rayons de lumière rompus par le prisme.

SÉANT, s. m. en posture assise. *Homonyme :* **SÉANT, E, adj.** qui sied, décent, convenable.

SEREIN, E, adj. clair, doux et calme. *Homonyme : SERIN, s. m.* petit oiseau au chant agréable.

SIMULER, v. t. faire en apparence, feindre. | Contrefaire. | Représenter quelque chose d'une manière feinte. *Ne pas confondre avec* :

STIMULER, v. t. aiguillonner, exciter. *Conjugaison 1er groupe*.

SOLDE, s. féminin paie des gens de guerre. | Vente au rabais. *Homonyme :* **SOLDE, s. masculin** complément d'un paiement. *Solde de compte*, somme qui fait la différence du débit et du crédit, lorsque le compte est arrêté.

SOMME, s. f. charge d'un cheval, d'un mulet, etc. | Certaine quantité d'argent. | Résultat de l'addition de plusieurs quantités ensemble. | Abrégé de toutes les parties d'une science. *Homonyme :* **SOMME, s. m.** repos causé par l'assoupissement naturel de tous les sens.

SON, adj. poss. m. sing. détermine le substantif, en y ajoutant une idée de possession. *Homonyme :* **SON, s. m.** ce qui frappe l'ouïe ; bruit. *Homonyme :* **SON, s. m.** partie la plus grossière du blé moulu.

SOUCI, s. m. soin accompagné d'inquiétude. | Ce qui est l'objet du souci. | Chagrin. *Homonyme :* **SOUCI, s. m.** plante à fleurs jaunes.

SOUFRE, s. m. substance minérale jaune, inflammable, à odeur pénétrante. *À ne pas confondre avec la 1re et 3e personne du présent de l'indicatif et du subjoncitf du verbe souffrir,* je- il **SOUFFRE**.

SOUFFRIR, v. i. pâtir, sentir de la douleur. | Se dit des choses qui éprouvent quelque dommage sensible. | Éprouver du déplaisir, du chagrin. | **V. t.** endurer. *Qui sait souffrir peut tout oser.* (Vauvenargues.) | Éprouver, essuyer. | Tolérer ; permettre. | **Se souffrir**, **v. pr.** se supporter ; ne s'emploie guère qu'avec la négation. *Conjugaison 3ᵉ groupe.* *À ne pas confondre avec* **SOUFRER**, **v. t.** enduire, frotter de soufre. *Conjugaison 1ᵉʳ groupe.*

STALACTITE, **s. f.** concrétion formée par l'eau qui descend de la voûte de certaines cavernes. *À ne pas confondre avec* **STALAG-MITE**, **s. f.** concrétion formée par l'eau sur le sol de certaines cavernes.

STATUER, **v. i.** régler d'une manière stable. *À ne pas confondre avec* **STATUFIER**, **v. t.** élever une statue. | Paralyser. *Conjugaison 1ᵉʳ groupe.*

SUBORDONNER, **v. t.** établir un ordre de dépendance entre l'inférieur et le supérieur. *Ne pas confondre avec* **SUBORNER**, **v. t.** séduire, porter à une action contre l'honneur, la justice, le devoir. *Conjugaison 1ᵉʳ groupe.*

SÛR, E, adj. certain, indubitable.| Qui doit arriver infailliblement. | À qui l'on peut se fier. | Solidement établi.| Où l'on est en sûreté. *Homonyme :* **SUR, E, adj.** qui a un goût acide, aigrelet.

TACHE, **s. f.** marque sur la peau, sur le poil. | Souillure, marque qui salit. | Chose qui blesse l'honneur. *Homonyme :* **TÂCHE, s. f.** ouvrage donné à faire, à certaines conditions, dans un temps fixe.

TACHER, **v. t.** salir, faire des taches. *Homonyme :* **TÂCHER**, **v. i.** s'efforcer de… *Conjugaison 1ᵉʳ groupe.*

TAIN, s. m. feuille mince formée d'un mélange d'étain et de mercure, et qu'on applique derrière les glaces pour qu'elles réfléchissent l'image. *Homonyme :* **TEINT, s. m.** couleur donnée à une étoffe par la teinture. | Coloris du visage. *Homonyme :* **TIN, s. m.** pièce de bois placée sous la quille d'un bateau, lors qu'il est en réparation. *Homonyme :* **THYM, s. m.** plante odoriférante utilisée pour parfumer les sauces.

TAPIR (se), v. pr. se cacher derrière quelque chose. ***Conjugaison 2ᵉ groupe.*** *Homonyme :* **TAPIR, s. m.** quadrupède qui ressemble au cochon.

TEMPS, s. m. mesure de la durée des êtres. | Les âges. | Les siècles, les différentes époques du monde. | Succession des jours, des moments, considérée par rapport à l'usage qu'on en fait. | Délai. | Saison propre à chaque chose. | Circonstance. | Conjoncture, occasion favorable. | Partie de la vie humaine. | Disposition de l'air, de l'atmosphère. | **grammaire**, différentes inflexions qui marquent, dans les verbes, à quelle partie de la durée se rapporte l'action exprimée par le verbe. *Homonyme :* **TAN, s. m.** écorce de chêne pilée avec laquelle on tanne. *Homonyme :* **TAON, s. m.** grosse mouche pourvue d'un aiguillon.

THERMES, s. m. pluriel bains publics. *Homonyme :* **TERME, s. m.** fin.

TON, adj. poss. m. s. *Homonyme :* **TON, s. m.** certain degré d'élévation ou d'abaissement de la voix ou d'un son. | Se dit du

son de la voix relativement aux senti-
ments qu'il exprime. | Manière, procédé. |
Intervalle entre deux notes consécutives de
la gamme, excepté celui du *mi* au *fa* et du
si à l'*ut*, qui ne fait qu'un demi-ton. | Se
dit aussi de la gamme qu'on adopte pour
un morceau de musique. | Mode. | Nom
que l'on donne aux teintes, en peinture.
Homonyme : **THON, s. m.** gros poisson de
mer.

TOUR, s. f. bâtiment élevé dont on forti-
fie des murailles. | Clocher en forme de
tour. *Homonyme :* **TOUR, s. m.** mouve-
ment circulaire. | Circuit, circonférence. |
Circonvolution. | Trait d'habileté. | Rang
alternatif. | Machine pour façonner en
rond. | *Tour à tour*, **loc. adv.** l'un après
l'autre.

TOUT, adv. entièrement, quelque. *Homonyme :* **TOUX, s. f.** expiration violente, courte
et fréquente, souvent suivie de l'expectoration
des mucosités contenues dans les bronches
et la trachée-artère.

VAGUE, s. f. eau de la mer élevée par les
vents au-dessus de son niveau. | Ondes.
Homonyme : **VAGUE, adj.** indéfini, sans bor-
nes fixes. | Indéterminé. | Qui n'a pas
d'objet précis. | Dont on ne peut se rendre
compte. | Mystérieux.

VASE, s. masculin récipient fait pour con-
tenir des liquides, des fleurs, ou pour servir
d'ornement. *Homonyme :* **VASE, s. féminin**
bourbe du fond de la mer, des étangs, des
rivières.

VISER, v. i. diriger sa vue ou une arme vers un point qu'on veut atteindre. | Mirer. *Homonyme :* **VISER, v. t.** examiner un acte et y mettre le visa. ***Conjugaison 1er groupe***.

VIVRE, v. i. jouir de la vie. | Durer, subsister. | Se nourrir. | Passer sa vie. | Se conduire. ***Conjugaison 3e groupe***. *Homonyme :* **VIVRE, s. m.** nourriture. | **Au pluriel** tout ce dont l'homme se nourrit.

VOILE, s. masculin étoffe destinée à cacher. | Partie du vêtement qui couvre le visage des femmes, ou la tête des religieuses. | Grand rideau. | Partie postérieure du palais. *Homonyme :* **VOILE, s. féminin** toile qu'on attache aux vergues pour recevoir le vent et faire avancer un bateau.

VOLER, v. i. se mouvoir, se soutenir en l'air au moyen d'ailes. | Être poussé dans l'air avec une grande vitesse. | Courir très vite. *Homonyme :* **VOLER, v. t.** prendre furtivement ou par force ce qui appartient à autrui. Dérober. | Faire un plagiat. ***Conjugaison 1er groupe***.

ZÉZAYER, v. i. parler en prononçant les *s* et les *j* comme des *z*. *Synonyme :* **ZOZOTER, v. i.** zézayer. ***Conjugaison 1er groupe***.

INDEX

TERMES CITÉS

P

TABLE DES MATIÈRES

NOTES

NOTES

NOTES

NOTES

NOTES